JN095575

詩論・エッセイ集

振り返ってみたら、そこに詩が

中原道夫

土曜美術社出版販売

振り返ってみたら、そこに詩が ＊ 目次

Ⅰ　詩を生きる

Ⅱ　詩の周辺について

振り返ってみたら、そこに詩が

Ⅰ 詩を生きる

詩を生きる
——振り返ってみたら、そこに詩が

　今年はついに卆寿ということになった。けれど、いまだ晩酌を楽しみ、正月には少々不安はあったが、冬の安達太良にスキーに行ったりした。テニスも現役で頑張っている。だからぼくには歳はない。どだい詩人は歳を取ってはいけないのだ。詩を書くということは生きている過程なのだから。「ぼくはまだ元気だ」とつぶやいていたら、女房殿に「世間の人は、もうみんな年寄りと思っているのよ」と窘(たしな)められた。

　出生は一九三一年六月五日、埼玉県所沢市で、九人きょうだいの四男として産声を上げた。六月五日は月遅れの端午の節句、母親が柏餅をつくっているとき陣痛がきての出産だった。これは、小学生になってからの話だが、「一九三一年は昭和六年だから、もう一日我慢して産んでくれたら、誕生日が6、6、6で都合よかった」と言ったら、「男児のお祝いの端午の節句に生まれて何が不服だ」と母親にこっぴどく叱られた。

　家はとりたてて貧乏ではなかったが、豊かでもなかった。父親はとんでもない男で、義理人情に生きる「やくざ」ではないが「やくざ」のような人間であった。自宅から数十メートルの所に妾宅があり、夜になるとそこで過し、朝になると帰ってきて母親のつくった食事を食べるのだから凄いものだ。日本舞踊などもやっていて、花柳界とのつながりも多かった。内面（うちづら）は悪かったが、人の面倒をよく見、外面（そとづら）は良かった。そんな関係で、小学校に入るまで、芸者の背中で、嫌（いや）というほど白粉（おしろい）の匂いを嗅ぎながら育った。もし、幼児期の体験が詩に係わりがあるとするのなら、ぼくの体験は、大人になって何冊もの小説を読むよりも貴重なものであるだろう。兄や姉、それらの子ども（甥や姪）を含めると、一時わが家は十六人の大家族になったことがある。家族の中で大人の世界も、子どもの世界も同時に学習できたのである。大人と子どもであっても、きょうだいであるから遠慮はない。社会の縮図のような中で、兄や姉にいびられながら、愛されながら「自己」というものを確立していったような気がする。

　一九三七年、所沢尋常高等小学校に入学するが、教科書は姉が使い、兄が使い、また下の姉が使ったという四代目のボロボロのものであったが、ときどき本の中に書き込みなどがしてあって便利なときもあった。先生がしゃべる前に、ポイントが分かっているのだ。

成績は悪くなかったが、家庭内で兄や姉に歯向って、自己の主張を押し通していたので、先生に対しても従順な児童ではなかった。そのため操行だけはいつも「乙」だった。これは、血筋というのだろうか、兄弟みな絵を描くのが得意で、コンクールではほとんど入賞した。六年生の兄、三年生の姉、一年生のぼくが、展覧会で同時に入選し、朝礼できょうだい三人が並んで賞状をもらったこともある。五年生のとき皇軍慰問のための絵ハガキの原画に応募して、当時の逓信大臣賞をもらって、話題になったことがある。絵を描くことと、詩作というのも創るという意味で共通点があるとするなら、これも一種の詩的体験であるかもしれない。美術の先生が放課後ぼくを特別に呼んで絵を描かせてくれた。コンクールで入選すれば、先生の株が上がるというわけだ。絵の具などをくれるので、不満は少しもおこらなかった。

ぼくには妹が一人いたが、一年生になったとき医者の見立て違いで他界した。今の世ならたいへんな問題になることだが、その当時は医者の死亡診断書一通ですべてが決まった。「死」とは死亡診断書一枚で決まるのだ。この思いはその後のぼくの作品に反映されている。母の悲しさはどうであったか。それは幼いぼくにもよく伝わってきた。それ以来ぼくは、小学校卒業まで母の乳房を弄(まさぐ)りながら母と寝た。母はお地蔵様のようになつかしいものだった。ぼくは一見豪放で快活に見られるが、ほんとうは淋しがり屋で弱虫なのだ。それは、この母の乳房のせいだろう。

ふと、ぼくは思い出す
幼いとき隣で添寝をしてくれた母のことを
あの胸のふくらみ　乳房のあたたかさ　乳の匂いを

（異国のホテルで『だから女よ』）

年を経て海外旅行に行ったとき一人寝の淋しさに、思い出したのは妻の乳房でなく、少年の時弄（まさぐ）っていた母の乳房であった。今でも母の乳房と妻の乳房が交錯するときがある。

五年生のとき、大人になるための訓練だといって一週間、親戚の家に預けられたことがある。見渡す限りの水田地帯で、夕方になると白鷺の群が、一斉に飛び立つ光景が毎日のように見られた。夕暮れは美しいが、哀しく切ないものだ。親戚のおねえさんが優しくしてくれればくれるほど涙があふれてきた。このときの体験が、処女詩集『石の歌』に繋がり、立原道造やリルケに繋がっていったのに違いない。

夕暮れはどこからともなくやってきた

遊びつかれた子供らに
おもどりなさいを言うために
やさしい母の待つ家に

子供は祖父にきいてみた
夕暮れは何故消えなければならないか
夕暮れは何故行ってしまわねばならないか
あんなにもやさしい夕暮れは　あんなにも美しい夕暮れは

祖父は子供にささやいた
それは昔の本に書いてある
昔の物語を読みなさい

けれど　そんな本はどこにもない
ただ夕暮れがどこからともなくやって来て
どこへともなく消えていくばかり

（夕暮れは『石の歌』）

　前述の親戚の家に下宿して、その土地の中学に入る予定もあったが、母と離れ難い気持と戦争が激しくなって、学校に入っても勉強などできないということで、小学校を終えると、所沢国民学校高等科に入学した。そして入学と同時に勤労動員。絵が好きだということだけで、飛行機のボディにペンキを塗る仕事をさせられた。工場でグラマンの機銃掃射を二度受けた。窓側にいた工員が肩から腕を打ち抜かれ、血が噴水のように湧き上るのを目撃し、戦争の残酷さを実感した。机の下にもぐり込んだとき、隣にいた二十代の女工の胸の膨らみを見て、初めて異性を感じたりもした。グラマンの体験も、異性を感じた体験もぼくにとってはとても大きなものだった。

警戒警報のサイレンが鳴ることもなく　空襲
警報のサイレンが鳴り響いた　その途端　パ
ラ、パラ、パラ、パラッと窓ガラスが飛び散
った　レーダーに捉えられることもなく　低
空飛行でやってきたグラマンからの機銃掃射
だ　操縦桿を握ってニヤッと笑う若いアメリ

カ兵の顔さえ見えてくる

大きな叫び声とともに窓際にいた工員の右腕から血しぶきが舞い上がる　側へ駆け寄る主任を除いて　そこにいたすべてが咄嗟に物陰に平伏した　命を危険にさらすとき　人はまったくばらばらになり　己を守る本能によって行動する

―危ないわ、急いで　慌てふためく少年の手をとり作業台の下へ引き摺りこんだのは　二十代半ばの女子工員　生死のほどは分からぬが　夫は南方の戦線に召集されているという女子工員は　少年の上に覆いかぶさるように蹲る　少年の肩に当てた女子工員の腕の中から　どっ、どっ、どっ、どっと　恐怖の鼓動

とは別の女子工員の鼓動が伝わってくる　そ
れは少年の初めて知る焼き鏝から伝わってく
るような熱い鼓動であった

再びグラマンが旋回して機銃掃射を仕掛けて
きたとき　少年は自分の鼓動も逆に女子工員
の体に伝わっていくのを感じ始めた。パラ、
パラ、パラ、パラッと天井を射抜いて立ち去
るグラマン　ふと少年は思った　天皇陛下の
御ために　夭折していった先輩たちはこのと
きめきに似た鼓動を知っていたのだろうか

空襲警報解除　けれど少年の鼓動は早鐘のよ
うに消えることなく鳴り響いていた

（鼓動『忘れたい、だから伝えたい』）

この作品、ほとんど実体験をもとにして書いたものであるが、戦時下「男女七歳にして席を同じうせず」と教育され、「国のために死んでいくのが日本男子の本懐である」と、ただ、ひたむきに生きてきた軍国少年のぼくが、初めて異性という存在を意識させられた瞬間である。現代なら、小学校の高学年でも、「何々ちゃん好き」と平気で異性について話しているであろうが、好き嫌い以前の問題として、異性に接することなど、けしてなかったぼくの十三歳の時の初めての体験である。

一方、B29の爆撃は、いよいよ激しくなり、山口貯水池（現狭山湖）の松林の中に隠れていた高射砲部隊が応戦するが、砲弾はほとんど届かなかった。けれど、これはまぐれと言っていい一発が見事B29に命中した。

撃墜されたB29の残骸の周りにはたくさんの人が集まった　四キロ離れた隣の街から息急き切って走ってくる者も多かったが　それはたんなる野次馬というのではない　毎日毎日空襲警報を発令させる敵の正体を自分の眼で見届けたかったからだ　折れた翼　砕けた胴体　大き

な車輪　粉々に飛び散った風防ガラス　ひん曲がった操
縦桿　機体はばらばらになり　その正体を確実に見るこ
とはできなかったが、その正体をある程度想像できる墜
落時にできた大きな蟻地獄のような穴があった

　憲兵はあまり前へ出るなと叫んでいたが　その眼はウ
スバカゲロウのように乾いていた　それに怖けず前へ出
て蟻地獄をじっと覗いているのは　じかに戦争の実感に
触れたいと思う人たちだが　不気味なことに　蟻地獄の
残骸と破片の中から　アメリカ兵の毛むくじゃらな白い
手がにょきっと出ていた　指に嵌めている結婚指輪が折
からの斜陽に涙ぐんで光っているように見えた

　その時一人の女が　憲兵の眼を避けながら防空頭巾の
中で唇を噛んでいた　先日中国の戦線で夫が戦死したと
いう訃報を受けたこの女は　きっとアメリカ兵の無惨な

姿と　亡き夫の姿を重ねているのだろう　訃報と一緒に
アメリカ本土に送られるだろう名誉を讃える通知も　夫
と同じ　けっきょくは命と引換えの一枚の紙に過ぎない
のだから

突然　Ｂ29撃墜万歳　天皇陛下万歳と叫ぶ者がいたが
その声は連呼とならず蟻地獄の中に萎んでいった　口に
こそ出さないが　だれもが敵も味方も空しく死んでいく
のが戦争なのだと　心の底では思っているのだ

また〈警戒警報発令〉のサイレンが鳴りだした　けれ
ど　みんな西の空に眼を向けていた　それはいままで見
たことのない美しい夕焼けだった　長い間忘れていた神
様のようなものだった　蟻地獄も戦争も　そして虚ろな
少年の心も　いつしか夕焼けの中に吸い込まれていった

（夕焼け『人差し指』）

　この作品は、六十年後に少年時代の記憶をもとに書いたものだが、残酷なあの地獄の中でみた夕焼けの美しさはいまでも忘れられない。この「夕焼け」が心に焼きついているせいか、ぼくには夕焼けを書いた作品が三十篇ぐらいある。

　一九四五年八月敗戦。少年飛行兵になりたかった夢が破れ、頭の中が真ッ白になる。天皇が人間であったことに驚く。アメリカ兵が街にきたら闘うつもりで、小刀はいつも隠し持っていた愚かな少年であった。翌年三月所沢国民学校高等科卒業。なすこともなく、親戚すじの真言宗の寺の手伝いをする。兄貴の読んでいた島木健作の『生活の探究』を見つけ夢中になって読む。なにをしていいか分からない自分にとって、魅力ある題名の本であった。とにかく、死者とつきあうために、悲しみとつきあうために、寺にいたことは成長期のぼくにとって、得難いものが多くあった。

　一九四七年四月、東京逓信講習所に入学する。逓信省の官吏を養成するところで、制服貸与、授業料なし、月給三十円支給、二年間で旧制中学卒業資格も取得できる恩典もあった。受験の倍率は高かったが、運よく合格する。家が豊かでない者にはありがたい学校であった。その頃から野球を始める。コントロールの良さを評価され、投手となる。後に週刊誌に連載した野球小説のネタはここで培われたものである。

二年後に大手町にあった東京中央電信局に配属され、通信士として毎日モールス信号を打つ生活となる。二千人近い職員がいるため図書館も設置されていて、ここで啄木を知り、夢中になって短歌や詩を書き始める。プロレタリア文学に興味を持ち、組合の青年部に入り、青年共産同盟にも加入する。また新制大学入試の資格取得のため都立高校の定時制三年に編入学する。しかし、勉強は独学で、ほとんど学校へは顔を出さなかった。この頃より職場ではレッドパージが始まり、共産党員への弾圧がひどくなる。組合のために活動してきた妻子ある先輩が職を追われるのを見て、毎日が胸の張り裂ける思いであった。その頃、勤労者文学が盛んで、職場の図書館に屯する連中を中心に「中電文学」が創刊される。十八歳のときである。四十代の書き手が中心であったが、押さえつけられていた感情を詩や短歌で発表する。五号にはじめて小説「青年」を発表する。左翼運動に身を挺する青年と、神を信じ、祈りの世界に埋没して生きる少女との恋物語だが、椎名麟三にえらく誉められ、文学への意欲がいよいよ高まる。合評会にはゲストとして野間宏、佐多稲子、安部公房、深尾須磨子などが顔を見せていた。大学入試の資格は無事取れたが、レッドパージのことが頭から離れず受験どころではなかった。組織と思想、思想と現実の生活、それらが混沌として頭の中をぐるぐる廻っていた。そんなときかつての小学校の恩師片居木清一先生に偶然出会い、宮澤賢治を教えられ、その作品の虜となり、青共を脱退する。一九五〇年のことである。その翌月、葛飾区金町に宮澤賢治研究「四次元」の主宰者佐藤寛を訪ねる。後になるが、この会を通して、浅野晃、久保田正文、思田逸夫、小沢俊郎、串田孫一、竹下数馬、草下英明などを知り、多くの文学的示唆を頂くことになる。

翌年二十歳、当然ながら独学のぼくの国立一期校の東京大学は失敗するが、二期校の東京学芸大学国語科に入学する。中央電信局は学費と生活のためそのまま勤務し、夜勤（十六時〜二十二時）専門となる。

その七月同級生の平野秀哉、森田時夫らと児童文学誌「あかべこ」を創刊する。三号より表紙絵を赤松俊子、題字を丸木位里ご夫妻よりいただく。いただくというより頭を下げて強引にお願いしたのだ。若さと熱意のなせる業であった。壺井栄、坪田譲治などから激励の手紙をもらったり、五号から児童文学サークル協議会に参加し、古田足日、前川康男、鳥越信、いぬいとみこ、松谷みよ子らとの交流もあったが、児童文学にあきたらなくなって詩への傾斜が強くなる。そんなとき同じ埼玉（浦和）在住の秋谷豊を知る。はじめての出会いは正丸峠。そのとき一緒だったのが、その後ずっと兄貴のようにめんどうをみてもらった泉沢浩志と、後に俳人尾林朝太として活躍した青柳信房であった。それ以来新宿で行われていた「地球」の研究会にも顔を出すようになり、新川和江、菊地貞三、粒来哲蔵、唐川富夫、松田幸雄などを知る。また、その頃、小学校の同級生の家の離れを間借りしていた、茨木のり子をときどき訪ねるようになる。大学の方は三年生になり奨学金がもらえるようになり、さんざ世話になった中央電信局は退職する。一番欲しかった時間を得て、人並みの学生となる。芸術学の土田貞夫先生を通して、ハイデッガー、リルケ、キルケゴールなどを知ったのも、蔵原伸二郎と知り合いになったのもこの頃である。蔵原のエッセー集『東洋の詩魂』と秋山英夫の『0（ゼロ）の文学』（マルテの手記を中心としたリルケ論）は、ぼくにとって手離すことのできない座右の書となる。その頃から、音楽家や画家をめざす仲間と「芸研」（芸術学研究会）というグループをつくり、新宿「風月堂」に入り浸るようになる。ここで、声楽をやっていた由上道と出会い恋に陥る。リルケの影響でソネット形式の詩を書き始める。後にこれが『石の歌』に発展する。

石をみていると石の悲しみがよくわかる
石をみているとことがよくわかる
石が在る　ものが在るということに
人は驚かなくてはならぬのだ

私は石をみる　石の心をみるように

道ばたに置き忘れられた小さな石よ
重さに耐えている小さな石よ
在るということはなんと厳しいことだろう

描くことは　ものの存在をみることだ
うたうこと　それは
ものたちの心を知ることだ

小鳥のやさしい歌声はどこからともなく聴こえてくるが
石をみていると　そのことが
ただ　そのことがよくわかる

（石の歌『石の歌』）

若かったせいか、この頃はつぎからつぎへと詩想が湧いてきて、それが言葉に定着していった。そんなことで、泉沢浩志の応援を得て、詩文芸雑誌「棘」を創刊する。同人は鈴木牧男、若林のぼる、今薫など八名であったが、四号より平野秀哉、岩井達也なども加入し、十七名の同人数となる。泉沢浩志は親分肌で、奥さんを印刷屋に修業に出し、自分の家に小さな印刷機を入れ、同人誌を出していた。費用は紙代と製本代を払うだけで、「棘」も出してくれたのだ。泉沢浩志の存在がなければ、現在のぼくの詩業はなかっただろう。まあ、それは、それとして、とにかく発行の費用捻出のため家庭教師を始める。ところが、この家庭教師、銀座でキャバレーやナイトクラブを数軒経営する家の子であったため、ぼくは、学生などとうてい入ることのできない高級クラブで、スコッチのグラスを傾け、女性の肌の匂いを嗅ぎすぎるほど嗅ぐという幸運に恵まれる。男として「女を見る」学習を、授業料なしで体験できたのだ。二十三歳のときのハレムの体験である。

みんながはだかで過した原始の世界で
——男はどのようにして女をあさったか
——男はどのようにして女をえらんだか

をんなが附属品をすてるときれいになると
とある詩人はうたっているが
はたしてこの世に附属品のない女がいるものなのか

だから、ぼくは
ラッシュアワーの地下道で
行き交う女の一人一人をはだかにしてみる
擦れ違う女の一人一人をはだかにしてみる

（ラッシュアワーの地下道で『だから女よ』）

クラブやキャバレーの女性は怖いものだと思っていたが、お互い素性が分かった段階で接すると、かえって純粋で、人としての温もりが伝わってくる。家柄、教養、みんな附属品ではないか。この学生時代の体験が、三十数年後に詩集『だから女よ』になる。女性だけを書いた詩集である。そんなこんなをしているうちに、一九五六年、東京都公立学校の国語の教師に採用され、それに合わせて処女詩集『石の歌』を上梓する。すべて泉沢浩志の厚意によるものである。蔵原伸二郎の序文が評判になる。この『石の歌』の出版記念会は、菊地貞三の肝煎で、高田馬場のグリル「大都会」で行われた。発起人蔵原伸二郎、高田敏子、茨木のり子、秋谷豊、泉沢浩志、菊地貞三、森菊蔵、松田幸雄、初代コロムビア・ローズと多彩であった。菊地貞三の才覚で、すべて会費で運営され、ぼくは一円たりとも出すことはなかった。詩集を出す、それはぼくの詩人としての第一歩であった。

そして、その年、神保光太郎、秋谷豊の呼び掛けで埼玉詩人クラブ（現埼玉詩人会）結成に参加する。会長神保光太郎、副会長蔵原伸二郎、大木實、理事長秋谷豊という陣容はなかなか他ではみられないものである。ぼくも理事の末席を穢すことになる。


一九五七年、詩集『石の歌』が、読売新聞の文芸記者の眼に留まり、原稿依頼がくる。エッセー「むさしの早春」を書く。初めての原稿料を得る。それで、同僚を誘いいつも呑むあのウメ割の焼酒でなく、日本酒を呑む。「何かいいことあったんですか」と飲み屋のおやじに言われる。「棘」は八号で終刊。泉沢浩志の「光線」同人となる。「光線」にはユニークな詩人が多く、詩をただ発表するというだけでなく、その交流が面白かった。光線同人だけでなく、川崎、横浜近辺の詩人たちとよく呑み、よく遊んだ。ほとんどが先輩詩人であったため、詩集や詩論集を読む以上に、ぼくの中には「詩を書く意味」や「詩人としての生き方」が蓄積されていった。

その年の秋、詩誌「花粉」が創刊され、蔵原伸二郎の勧めで同人となるが、ここで西岡光秋を知る。「花粉」には大江満雄、藤原定、蔵原伸二郎、田中冬二、片山敏彦、山室静、渋沢孝輔、宗左近など錚々たるメンバーがいたが、藤原定が中心となって編集をしていたため、若い詩人は藤原が教授をしている大学の教え子が多かった。そのため主流からはずれていた西岡とぼくは、何か気が合った。それは彼が他界するまで続いた。「花粉」はただ詩誌を出すだけでなく、当時としては珍らしいアンソロジーを弥生書房から出したり、詩書画展を銀座と池袋で開催したりした。ぼくは山の写真と詩のコラボレーションを六点出品し、全部売って、飲み代にした。

魚は体を弓のように曲げると
思いきり空へとんだ

空の青さ　空の深さの中に
魚は存在を信じていたのだ
空への飛翔
それは魚にとって生きることでもあったのだ

しかし　とぶことにより
魚は何を知っただろう

ふと　見おろした小さな湖水に
魚は大きな空を発見したのだ

湖底に深く沈んだ魚は
再び姿をあらわさなかった

（空Ⅰ『花粉詩集』）

二十代のぼくは、毎晩飲み歩いているような生活をしていたが、詩については真摯に対象を見つめていたような気がする。そんなとき、埼玉詩人クラブの先輩詩人である宮沢章二、槇晧志から児童文芸誌「ふんすい」を創刊したから仲間にならないかと声がかかってきた。ぼくが学生時代に童話を書いていたことをだれからか聞いたらしい。宮沢は現代詩も書いているが、ＮＨＫなどの歌謡の作詞家でもある。ぼくは、当時新美南吉の童話に強い詩情を感じていたときであったので、「ふんすい」に幼年童話と、子どもの詩などを書いたが、真面目なものを書く雑誌など長続きするはずはない。「ふんすい」は三号雑誌で終り、槇晧志の夢はもろくも破れた。

この頃、社会全体が、一般的に安定してきたせいか、週刊誌がブームとなり、三十種類ぐらいの雑誌が駅の売店で売られていた。しかも、スポーツ誌は巨人の快進撃ということで他の追随を許さない人気であった。ラジオ中継で試合の結果を知っていながら、翌日スポーツ新聞を購って読み、またその総括を週刊誌で確認するというのが野球ファンの通例であった。そんなわけで全国の野球ファンの半数を占めている巨人ファンを狙っての「週刊ジャイアンツ・ファン」という雑誌が発刊されたのは当然のなりゆきであったろう。ところが、たまたまそこの編集部に友人がいたことから、ぼくに野球小説の連載の依頼がきたのである。有名作家でないから、「小遣い程度の原稿料ですむ」が、編集部の友人の言である。ところが、ギャラの問題はさておいて、電車に乗って、隣にいる人が、ぼくの小説を読んでいる姿などに出会ったときは感激であった。また駅のホームの売店に並べられている雑誌を見るのもけっこう楽しいものであった。たとえ、それがとるにたらないスポーツ誌であったとしてもだ。これは一年続き、二年目は別の作品を書いた。ところで、このことは、後のぼくの詩作の上でずいぶんとプラスになった。小説は読者(よみて)を考えて書くということが鉄則である。ぼくの詩作品が普遍的で、他者に分かりやすいといわれているのは、この二年間の執筆による修業から得たものにちがいないのだ。そして、この小説によっていくらか得た小遣いで、ぼくは第二詩集『雪の歌』を上梓する。

『雪の歌』は一部「雪の歌」、二部「愛の歌」、三部「山の歌」の三章に分けた。これは、ぼくにとって恋の対象となった実体はあったものの、当然そうなるべき失恋詩集であった。ぼくは実体そのものよりも、恋そのものを恋していたのだ。キルケゴールの『誘惑者の日記』を読んで、そのことが分かるのにぼくは二年の月日を費やした。

雪よ　僕はおまえを失うために
おまえを求めていたのであろうか
おまえの在つたそのわずかな時間を
物語のように愛するあまり

美しいものが消えていく
みにくい地上が現われる
森が　街が　傷にまみれた騒音が
おまえはなぜ天へ帰らねばならぬのか

雪にまつわる物語
しかし　物語はいつかは失われていくだろう

冷たい雪の厳しさだけを地上に残して
美しいものは失わねばならない
僕は天のどこかに雪の白さを信じながら
おまえの去つた天をみる

（雪の歌Ⅸ『雪の歌』）

この詩集の解説を書いてくれた美学の恩師土田貞夫先生は、「詩人はその白さに惹かれ、愛したが、喪失のもつ冷たさに生かされた」と評しているが、ぼくは後になってぼくの失恋が、たんなる喪失感でなく、他者がけして味わうことのできない貴重な体験であったような気持になってきた。見えなかったものが見え、感じられなかったものが、感じられるようになってきたのだ。

恋を失ってから、ぼくは執拗なまでに山に登った。恋の対象が少女から山に変ったのだ。人を愛するということは、近づけば近づくほど現実的な妥協が出てくるものだが、山は愛すれば愛するほど、清く透明なものになってくる。ぼくは冬の八ヶ岳、春の南アルプス、夏の立山、剣岳、穂高岳、谷川岳、中央アルプスと次々に踏破した。そしてその登高を神が祝福してくれたのであろう。ぼくは槍ヶ岳山頂で、常時山に登る岳人でも、なかなか遭遇することのないブロッケン現象に出会う。そんな生活の中で「山と渓谷」に山の詩を、「みどり」（学燈社）に愛の詩を書く。「みどり」に掲載された詩はハイネの恋愛詩と並んでいたので嬉しくなる。当時の若い学生向きの雑誌であった。

いまだに断髪姿のおまえのことを
おまえのお母さんは笑つていたが
僕が片時も忘れたことのないおまえとは
信じつづけて来たおまえとは
一体おまえのどこに住んでいるのだろう

藝術（うた）に研ぎすまされたおまえの魂
孤独に磨かれたおまえの風景
おまえは化粧水や Cream で
おまえを美しく飾らない

月は孤独なるゆえに美しい
花は咲くこと自体が美しい
外からもらつた美しさでなく
内から湧きでる美しさ
僕はおまえのことをそう思う

（おまえのことを……「みどり」）

その頃、ぼくは勤め先の学校の生徒の母親たちの有志による「もなかの会」という詩の勉強会を月一回持っていた。二年目にその成果をみるためにアンソロジー『もなか』を上梓した。折も折、高田敏子がママさん詩人として脚光を浴びていた頃で、早速朝日新聞が「主婦によるアンソロジー」として大きく取り上げてくれた。それが切っ掛けで、「もなかの会」には地域の主婦だけでなく、詩の好きなよその地区の主婦も入会し、その組織も大きくなっていった。二年後、「もなかの会」の第二詩集『わたしたちも唄う』を上梓するが、期を待っていたかのように、NHKテレビ「午後のひととき」に出演依頼がくる。「自己の確立のために主婦たちは詩を書くのだ」というような話をする。今と違って、主婦で詩を書く女性は少なかった。初めてのテレビ出演である。

ところが一方、詩誌「光線」は二十八号をもって休刊。「花粉」も二十号で終刊になったため、所属する詩誌は一切なくなった。詩作は孤の作業だから、詩誌の存在はどうでもいいという詩人もいるが、現実にはそうではない。発表する場があってこそ書くことができ、仲間がいて励まされるのだ。

一九六四年、縁あって福島幸枝と結婚する。

そして、それを機に学校を異動したが、新任の学校で顧問の引き受け手のいない廃部寸前のバレーボール部を引き受けざるを得なくなる。世は正(まさ)に大松監督率いる「東洋の魔女」の時代であった。その頃、現代詩の世界は「荒地」旋風の余波で、抒情詩を書いていたぼくは少なからず肩身の狭い思いをしていた。ぼくは詩を書くことは感動を他者に伝えることだと思っていたので、巷に彷徨うモダニズムの亡霊には辟易していた。というより淋しかった。そんなときであったから、とりあえず詩作は中断。一試合一試合ごとに感動を生む試合に賭けてみようと思ったのである。

スポーツの世界は、評価が歴然としていた。結果は勝つか負けるかで、一点の差が天国と地獄に分かれる非情な世界である。「あの詩集はよかった」「詩人の◯◯はいい」とか、詩の世界では様々な評価があるが、それらにはすべて曖昧さがある。素人の怖さ知らずであったろうが、土曜、日曜はなしという厳しい生活を五年続け、ついにぼくは東京都中学校女子チームの頂点に立ち、日本バレーボール協会公認の審判員にもなる。小学館発行の教育雑誌に「汗と涙のしろうとバレー」を執筆する。バレーに関しての詳細は、拙著『現代詩、されど詩の心を』に書いているが、詩の良し悪しは主観的でアバウトだが、スポーツの勝ち負けの厳しさは言葉で表わすことのできないものである。

一九七三年、スキーメーカーの招待で、ヨーロッパアルプスへスキーツアーに出かける。世界十数ヶ国のスキーヤーとの交流で、日本人の卑小さを体験する。帰りパリで数日間過す。その年の秋、テレビ朝日の奈良和モーニングショーに出演する。教師の生き方についての討論であったが、テレビで喋る怖さをしみじみと体験する。喋った言葉はブラウン管を通じ外へ流れ、けして自分には返ってこないのだ。自分の詩も活字になればそうであるのかもしれない。

一九八〇年、木島始編『地球に生きるうた』（偕成社）に『雪の歌』から作品が収録される。詩界から遠ざかっていたぼくは、このことを十数年後になって知ったのであった。

一九八三年、日韓国交樹立。中曽根総理の二月訪韓について、三月民間外交として勤務校のバレーボールチームを引き連れ訪韓する。教育委員会も学校も大慌てであったが、韓国政府と日韓親善協会原文兵衛会長からの強い要請で、当局は黙認ということになる。どだい公立中学校単独の海外遠征は、たぶんこれが最初で、今後もあり得ないだろう。教育界というのは、ものすごく保守的なのだ。もちろん首は覚悟の上であった。女房にはすまないと思ったが、これは男の美学であった。

翌年、東京都代表としてチームが男女とも関東大会に出場する。四十度を超える甲府体育館の暑さの中で倒れる生徒を見て、勝負にこだわるスポーツの世界に疑問を持ち始める。その後、日韓関係の中学生の交流は難しくなり、家庭婦人バレーボールチーム監督として、再度訪韓。その後一年おきに、東京、ソウルで親善試合が行われるようになる。そんな関係で日韓親善協会の理事になる。数多い国会議員に混じって、政治に関係のない一中学校教師の理事は異例のことであった。ところが、日韓親善といっても政治家は、実務は何もできない。高校生のホームステイとか、小学生の絵画の交換とか、ぼくはけっこう働いたが、政治に利用されるだけの自分が、阿呆らしくなり、協会を辞めることにした。その時である。胸にたまっていた詩が、むらむらっと起き上がってきたのだ。けれど様々な人生を見てきたぼくの詩は、青春の詩ではなく、文明批評へと変身していた。

あなたは生れながらの中村さんであるはずなのに、

ほとんど　どこにでもいる新井さんと同じやり方で妻を愛し、
ほとんど　どこにでもいる石川さんと同じやり方で子供を育て、
ほとんど　どこにでもいる斎藤さんと同じやり方で人生を考える。
あなたは歴(れっき)とした中村さんであるはずなのに、
ほとんど　どこにでもいる鈴木さんと同じやり方で背広を誂え、
ほとんど　どこにでもいる高橋さんと同じやり方で金を貯めることを考え、
ほとんど　どこにでもいる中山さんと同じやり方で早く課長に昇進することを夢みる。

そして　あなたは正真正銘の中村さんであるのだから
もっともっと　あなた自身の生活を大切にしなければならないのに、
ほとんど　どこにでもいる山口さんと同じように赤提灯の暖簾をくぐり、
ほとんど　どこにでもいる吉田さんと同じようにパチンコ屋の喧噪の中に立ち、
ほとんど　どこにでもいる渡辺さんと同じようにカラオケスナックのマイクを握る。

そして　あなたは紛(まが)いのない中村さんであるのだから

もっともっと　親からもらったあなたの顔を大切にしなければならないのに、
もし　あなたが教師になってしまったとすると、
ほとんど　どこにでもいるくだらない教師の顔にあなたの顔はなってしまい、
もし　あなたが医者になってしまったとすると、
ほとんど　どこにでもいるつまらない医者の顔にあなたの顔はなってしまい、
もし　あなたが商人（あきんど）になってしまったとすると、
ほとんど　どこにでもいる抜け目のない商人の顔にあなたの顔はなってしまう。

おーい　中村さん！
中村さん、ってば……
ぼくは懸命になって中村さんを呼ぶが、
いまや街行く人の中に中村さんの姿はどこにも見えない。

（中村さん、ってば……『薔薇を肴に』）

生きるということは、社会の歯車の一つとして、利用されることなのだろうか。人は自分の顔で生きなければならないのにロボットとして生かされているのだ。少なくも、バレーボールに賭けている中原さんは中原さんであったのに。勝つか負けるか。国策といいながら、人を利用しながら、己のことだけを考えている政治屋たち。もちろん詩を書く人間にも似非詩人は多くいる。けれど詩を書くということは、己の意思によるものである。かくしてぼくの詩への強い思いは爆発したのだ。

ちょうどその頃、板橋区文化祭「詩のつどい」でアンソロジーの作品を募集していたので、この「中村さん、ってば……」で応募した。これが区長賞ということになり、来賓で来ていた西岡光秋と再会する。「書けるんだから、書かなければだめだよ」と詩作を促され、友情を強く感じた。

翌一九八八年、泉沢浩志と詩誌「閃」を創刊する。同人には小島禄琅、野沢郁郎、青野三男、鈴木牧男、若林のぼる、吉見みち、表孝子、浅田一夫など旧「光線」メンバーが中心であった。

ぼくは二十数年間、詩作から遠ざかっていたが、ぼくの中から詩が消えていたわけではなかった。むしろそれは逆で、言葉に置き換えられなかった詩が悶々として、ぼくの中に蓄積されていたのだ。「言葉にしてくれ」「オレを世に出してくれ」詩は毎日のように、ぼくの中から飛び出してきた。「週刊ポスト」（小学館）に作品「野原のまん中で」を執筆する。

たとえば駅のトイレで用を足すときなど
僕はいつの間にか　知らず知らずのうちに
窓から二番目のトイレで用を足す習慣ができている
そして電車に乗るときは
いつも三両目の一番前
スナックの止り木も
いい女がそばにいるときだけは別なんだが
いつの間にかぼくの席は決まっている

ほんとうに世の中っていうものは不思議なもんだ
決めなくていいものを
人はそれぞれ自分勝手に決めてしまい
そして
それが常識みたいになってしまい
そして

それが道徳みたいになってしまい
そして
それが法律みたいになってしまい
そして
あげくの果てにそれが一番正しいと思ってしまう

秋のよく晴れた日曜日
僕は野原のまん中で小便たれる
野原は広々としていて
とり立てて決めるべき場所もない
だから　僕はちょっととまどってしまう
僕の前にあるのは自由に吹く風だけだ
そして　小便たれる僕の肩に
赤とんぼが一匹とまる

（野原のまん中で「週刊ポスト」）

この「週刊ポスト」に書いた「野原のまん中で」が一つのきっかけになり、西岡光秋の推めで、日本詩人クラブに入会する。長い詩的空白を、多くの詩人たちが埋めてくれる。一九八九年、第三詩集『薔薇を肴に』を上梓する。

朝起きて　あなたを送り出して
子供たちにご飯を食べさせて
それからお兄ちゃんを幼稚園に連れてって
洗濯してもうお昼

チビちゃんを昼寝させて
洗濯物を入れて
お使いに行って夕方

そして七時　あなたのお帰り
夕飯を食べて　お風呂に入って

一日よ
あーあ　ほんとに女ってつまらない

晩酌の猪口を一口あけて
妻はぼくに語るのだが

しがない教師のぼくだって
蕎麦屋が高くなってから
おまえの持たせる弁当持って
生徒には〈夢をもって生きていけ〉と
立派な先生みたいな振りをして
大きな声でどなっているが
ほんとは生きることがわからなく
ほんとは生きることがつまらなく
もたもたしている男にすぎない

勤め先と家庭と飲屋の三角パスで
行ったりきたりのサラリーマン
生きるということは
生きていくということは
生殖作用だけでなく
子供を育てることだけでない
ただそのことだけはわかっているが

——なあ、おまえ
今夜は徹底的に二人で飲もう
生きるために思いっきり花をもつ
あの庭の小さな薔薇を肴に——

（薔薇を肴に『薔薇を肴に』）

リルケは「花たるこそ花なれ」と言っているが、薔薇は、生きること自体が開花であり、自己の展開そのものが花である。けれど、人は大半の者が、生きているのではなく過ごしているといってよいだろう。再帰第一歩の詩集である。そんなぼくに声を掛けてくれたのが、かつての「光線」同人の森菊蔵で、彼の推薦で、日本放送「ポエムリサイタル」に出演することになる。詩人三人が一つのグループに分かれ、詩の朗読をする番組で、ぼくの場合は難波律郎、鈴切幸子と一緒であった。この番組、けっこう話題になり、多くの詩人が参加したが、森菊蔵の死によって、途中で中止となってしまった。
　その後多くの人に詩を伝えるという意味で合唱曲「ロボット」を書いた。作曲は高田三郎門下の俊才渡辺学氏で、女性合唱団「アカシア」によって発表された。

ロボット
　　――合唱曲のために

ロボットが　ロボットが
歩いている　歩いている
人間の　人間の　顔をしたロボットが歩いている
人間の　人間の　服を着たロボットが歩いている
男も女も

大人も子どもも
まったく人間によく似ているけれど
あれはみんなロボットなのだ
ロボットなのだ　ロボットなのだ
心がないからロボットなのだ
優しさがないからロボットなのだ
ロボットなのだ
ロボットなのだ
ロボットなのだ

むかし　野山には　美しい花が咲いていた
むかし　森には　きれいな小川が　流れていた
だから　人の心は美しく
明るい歌が　みちみちていた

野山を壊すたびに人間はロボットになる

小川を汚すたびに人間はロボットになる
美しい人の心は花といっしょに失われ
清らかな人の心は森といっしょに失われ
人はみんなロボットになった
人はみんなロボットになった

ああ、街角をロボットが歩いている
今日も街角をロボットが歩いている
人間の　人間の　顔をしたロボットが歩いている
人間の　人間の　服を着たロボットが歩いている
どいつもこいつもロボットなのだ
どこもかしこもロボットなのだ
ロボットなのだ
ロボットなのだ
ロボットなのだ

この作品「ロボット」は、その後作曲家滝口亮介氏による別の混声合唱曲としても作曲され、さまざまな場で、歌われ、多くの人に感動を与えることができたと自負している。

一方、現代詩の普及と底辺拡大は、自分にとって大きな課題となる。そんなことで、板橋区詩人連盟会長となり、板橋区の行政と一体になり、一般区民の詩の普及活動に努めた。また、この頃になると、日本と韓国の関係が親密になり、日韓友好に尽くしたということで、一九九〇年、韓国と、日韓親善協会（原文兵衛会長）より、表彰を受けた。

一九九一年、第四詩集『だから女よ』を上梓する。

スイッチを押せば
いろいろ文明が手の代りをしてくれるから
女の手はいままで以上にいらなくなった
輝きれた手で竈に火をつけるのは昔の話

だから女の手は宙に舞い
いつしかカラオケスナックのマイクを握りはじめた

まるでわたしは歌手
みにくかった昔の手に比べ
私の手はなんと美しい手であろう

焚き火　炬燵　竈　風呂の火
電子レンジはいよいよ火のぬくもりを忘れさせ
お鍋やお釜はいらなくなった
火を使わなくともご飯は炊ける
火を使わなくとも食事ができる
私の手はなんとしっとりとした手であろう

火を使うためにあった女の手よ
水を使うためにあった女の手よ
母に祖母にそのまた祖母に受けつがれてきた女の手よ
あのぬくもりのあった女の手よ
ざらざらとそれでいてあたたかみのあった女の手よ

子どもたちをしっかりと抱きしめてきた女の手よ
しかし、文明は美しくしっとりと女の手をつくりかえた
そして、ぬくもりを忘れた女の手は
いつしか子どもを抱きしめることを忘れていくだろう
そして、美しく彩られた女の手は
いつしか人を愛することも忘れていくだろう

（女の手『だから女よ』）

何故「だから女よ」かと言えば、文明文化の影響を男よりも女の方が受けやすいからである。しかも、人類の歴史は女性によって受け継がれているからである。そして、ぼくは近頃、社会を騒がしている猥褻問題についてもこんなふうに書いている。「しかし、女というのはおかしなもので／まったく女というのは不思議なもので／男はそういうものだとわかっているのに／男はそういうものだと知ってはいるのに／ことさら、その大きなオッパイを強調させて歩いているのだ／——どうです、わたしの胸に触りたいとは思いませんか、と」

これは表題の作品の一部であるが、二、三の女性詩人から、「あの透明な抒情詩を書い

ていた中原さんって、すごい変貌ぶり」と言われたが、社会的な動きに心を動かし、動揺するのも一つの抒情ではないかとぼくは思うのだ。対象が自然であったり、愛であったりするものだけが抒情だと言うのは少し古すぎないか。抒情を心の動きとするのなら、抒情は対象（時代）とともに変化するものなのだ。

一九九二年、東京都立中央図書館逐次刊行物課に嘱託として勤務する。ここでは、全国の新聞雑誌、いや世界の新聞雑誌のあらかたを見ることができる。後に上梓した詩論集『いま一度、詩の心を』の資料的なものは、ほとんどここで見つけたものだ。「よくもまあ、全国の新聞雑誌を隈無く調べたものだ」と、多くの読者から、そんなお便りをいただいたが、仕事（しごと）を通して自分の書きたいものが書けたというのは幸せなことであった。板橋区民の詩の普及のために詩の勉強会「樹の会」を発足させ、指導にあたったのもこの頃であった。これが板橋詩人連盟、板橋区「詩のつどい」の発展に繋がっていき、日本詩人クラブの会員が九名、会友が三名育っている。連盟のアンソロジーは現在三十三号と続き、行政と一体になって「詩のつどい」を行なっている区は、板橋区以外ないだろう。

一九九三年五月、日本詩人クラブ理事に再選される。六月、理事長の鈴木敏幸とカナダ横断の旅に出る。正に弥次喜多道中であった。カナダの自然は何冊の本を読むよりも得るものが多かった。八月、韓国ソウルで開催されたアジア詩人会議に秋谷豊に誘われ参加する。訪韓は何回となく経験しているが、政治がらみや、民間外交でなく、詩人同士の交流は、心の触れ合いが多く意義の深いものだった。具常、金南祚、金光林、台湾の陳千武などを知る。「東亜日報」社屋で朗読をする。

一九九三年十二月二十二日、それはぼくの人生において、けして忘れることのできない日であった。

妻が交通事故に出遭ったのである。その時、ぼくは仕事先の忘年会で、はしご酒を呑んでいた。家に帰ったときは、日付が変わろうとしている頃であったが、家には誰もいなかった。すこし経って、いったん帰ってきた子どもたちから事故のあらましを聞き、すぐさまタクシーを呼び、病院に駆け付けた。妻は喘ぎ喘ぎ言った。

「遅かったのね、でもあなたが来てくれて、よかった」

妻は重傷であった。複雑骨折の脚、トラックのドアに叩きつけられた顔面の擦傷、身体中の打撲で苦しんでいた。痛みとストレスで、妻の喘息の発作も激しかった。もともと妻には、大気の汚染からきた喘息があったが、それが一気に爆発したのだ。見ていても、こちらが苦しくなるような状態であったが、妻の顔には頑張らなくてはいけない、頑張らなくてはいけないという意志がはっきり窺えた。

「まだまだ、三人の子どもがいるのだもの、わたし死ねないわ」と妻の眼は語っていた。ぼくは、妻の「生」を信ずるためにこんな詩を書いた。子どもたちから聞いた事故当時の詳細からである。

トラックに乗ってやってきた死が
突如、妻を襲った
が、妻は一瞬、それを撥ね退けた
けれど、その一撃はひじょうに強く
妻の額からは鮮血が迸り
妻の右脚の膝はがくがくに壊れていた

死は月夜の晩のようにロマンチックで
静かにやってくるものだと思っていたが
こんなにも激しく残酷に襲ってくることもあるのだ
けれど、危うく死から逃れた妻は
いま、自分が生きているのだという実感で一杯だった

この突き刺すような痛み
それは生きているという証拠ではないか——
やがて、娘や息子が駆けつけてきた
近所に住む人たちや、野次馬もやってきた
—救急車をはやく呼べ
あたりには、まだ死の恐怖が漂っていたが
そこに集まった人たちは
血まみれになった妻の身体から
燦々と輝く生そのものの姿を見た
このくらいの怪我では死ねないわ
〈死〉の一撃をふりきった妻の顔には
日頃あまり心にもとめていなかった〈生〉が
笑顔を見せていた
あの五月の若葉のように—
その時、
けたたましく警笛を鳴らしながら

妻の〈生〉を擁護するために
救急車がやってきた
（事故『雪の朝』）

けれど、妻は〈死〉を拒絶できなかった。年が明けて行われた手術はうまく成功し、膝の回復は順調だった。しかし、妻の心の傷はなかなか癒えるものではなかった。喘息にはストレスが一番悪いものなのに、整形外科の医師にはそのことが判っていなかった。ぼくは二度に亘って内科病棟（呼吸器科）に移してほしいと願ったが、聞き入れてはくれなかった。

「奥さんの喘息は心配することはありません。むしろ、リハビリが辛いので、苦しい苦しいと言っているのです。ご主人からも、甘えないように、厳しく言って下さい。病棟を替える必要もありません。安心してぼくらに任せて下さればいいのです」

二人の主治医は異口同音にぼくに言うのだ。妻はどちらかというと我慢強い人であったが、喘息に無知な整形外科の医師たちは（医師であるにもかかわらず）、自分の手で聴診器を当て、喘息を聴くことすらしなかった。それでも、二月に入って立春を過ぎると、妻は不思議なくらい元気になった。

「あなた、忙しいでしょうから、毎日来てくれなくてもいいのよ」

妻は、やっとのことで松葉杖での歩行の練習も始めていた。最後に見舞った時、妻は、ぼくと娘をエレベーターのところまで送ってくれた。なぜあの時、妻はぼくらを見送ってくれたのだろう。いま、思えば不思議なことである。あれがぼくと妻との今生の別れであった。

その日は、東京では珍しい大雪の日であった。けたたましく鳴る電話に起こされ、受話器を取ると「奥様の容態が急変したので、ご家族の方、至急病院へきて下さい」というのであった。膝までの雪、タクシーも拾えない。三キロの道のりを二時間近くかけて病院に着くと、数名の医師が入れ替わり、立ち替わり人工気胸をしている。息をすでに引き取っているのに、モニターに数値を残すために、ぼくら家族が駆けつけるまで、胸を押し続けていたのだ。

「可哀想だから、やめてくれ」ぼくは、思わず叫んだ。医師の手がぼくの権幕で一気に停まる。モニターの数値がゼロになる。救命のための人工気胸ではなく、家族に、まだ死んではいないということを見せるための操作なのだ。妻はすでに事切れていたのに、まことしやかに「御臨終です。この度はご愁傷様でした」と、副院長の言葉。そしてその時が死亡時間になる。死は医師が決めるのだ。どうにもならない怒りが湧いてくる。

これは、後の監察医の解剖結果によって知ったのだが、強度の人工気胸の圧迫により、
妻の胸部から腹部にかけて、考えられないほどの多くの出血があったとのことである。

その日、気圧の変化で
妻はたいへん苦しんだが
当直の医師の妻への対応はなかったという
だれも看取る者もなく
瞳孔が開いたまま俯きかげんの姿勢で
妻は事切れていたという

—ところで先生は、母が死ぬとは思っていませんでしたか?
悲しみを冷静さに置き換えた息子の問いに
主治医は少なからず動揺したが
—まさか、死ぬとは思っていませんでした
と、小さな声で答えた
だから、ぼくはお願いしたではないか

Ｔ大学附属病院整形外科の医師たちよ
リハビリだけの膝よりも、むしろわるいのは喘息だから
内科病棟に移して欲しいと
けれど、あなたたちはぼくに言い切った
医師の権威と自信を持って
—奥さんの喘息は、たいしたことはありません
—むしろ、苦しい苦しいで、こちらが困っているのです
整形外科の医師であるあなたたちには
かけがえのない妻の死より膝のリハビリの方が大切だった

—苦しいと言うと叱られるの
—リハビリがすすまないと怒られるの
—我慢しろ、我慢しろといつも言われるの
—だから、よけいに胸が苦しくなって、それで

妻の訴えるようなあの声が

いまでも耳から離れない
「えっ、なんで奥さんは病院にいて死んだのよ」
「しかも、完全介護の病院で」

T大学附属病院整形外科の医師たちよ
病院は命を守るところではなかったか

（妻の声が聞こえないのか『雪の朝』）

早朝、看護婦が巡回で発見したという妻の死、妻は誰にも看取られることもなく、苦しさと闘いながら瞳孔を開いたまま、俯きかげんの姿勢で息絶えていたのだ。その夜、ぼくは泣きべそをかきながら、悔しさを浄化するために、追悼の詩を書いた。

寒いのは嫌だと、いつも言って居た妻が
なぜ、こんな日を選んだのであろうか
それは、東京には珍しい雪の朝だった

——あなた、
——だって、この世って醜いでしょう
——だから……

東京に残された自然は雪だけだ、と
いつか、ぼくはおまえに話したことがあるけれど

——ほら、みて
——街も、ビルも、公園もすっかり白に覆われて
——だから……

命とひきかえに白さに還元されていった妻よ
いま、おまえの声が
天の声となって静かに聞こえてくる

一九九四年二月十二日
東京地方は二十五年ぶりの大雪で
その日の朝、八時三十一分
折からはげしく雪がふりはじめた頃である

（雪の朝『雪の朝』）

その後、ぼくは、ぼくの悲しみをぼく自身で、なぐさめるために、妻の死に関わる作品を書き始めた。街を歩いていると、見知らぬ人の姿が妻の姿に見えたり、突然、妻の声が聞こえてきたりするような様々な思いを、書き続けた。すると、不思議なことだが、一つの思いを言葉に置き換え、作品化すると、その思いが、心の中から薄らいでいくのだ。ぼくは書いた。そして妻の一周忌に上梓したのが、詩集『雪の朝』である。いま、読み返してみると、様々な思いが一つ一つ蘇ってくるが、次の作品こそ、妻の死が、どれほどぼくに、残酷極まりない体験をさせたかを示すものである。

ぼくは、なにも札束と一緒に
妻の死を受け取りにきたのではないのだが

郵便局の保険係は
「これが死んだ奥さんの保険金です」
と、堆く積まれた札束を
一束一束丁寧に確認しながら
ぼくに言うのだ

そして、
いまだに妻の死を信じることのできないぼくに
郵便局の保険係は
「これが死んだ奥さんの保険金です」
と、適切に、しかも情け容赦もなく
妻の死を、札束と一緒にぼくに差し出すのだ
ずっしりと手応えのある紙幣の束は
やっぱり妻の死なのか

—おまえはどこへ行ったのだ

—隠れん坊をやめて早く帰ってこい
けれど
郵便局の保険係は
すごく真面目で事務的だから
「これが、死んだ奥さんの保険金です」
と、もう一度丁寧に
妻の死を、札束と一緒にぼくに差し出すのだ

（保険金『雪の朝』）

妻の死を、頭では事実として分かっていても、心の中では信じたくないぼくにとって、差し出された札束は、保険金ではなく、「これが奥さんなんですよ」と、言われたような錯覚に一瞬陥った。この時、妻の死から半月以上経っていたのだが、妻が保険金になったという思いは、しばらくぼくの胸に突き刺さったままだった。

死はもっと抽象的であるべきはずなのに、妻の死が、どんなにか残酷であったか。ぼくにとって、一九九四年二月十二日午前八時三十一分は、忘れたい、けれど忘れられない「あ

の日、あの時」であったのである。

忘れることのできない日と、言えば、妻の入院中に起きた「阪神淡路大震災」である。一九九四年一月十七日、これは震災の災禍はもとよりであるが、詩人としてのぼくにとって、記憶の中に大きく残るものである。

当時、ぼくは東京都立中央図書館逐次刊行物課に勤務していた。毎朝、閲覧者のために全国各地の新聞を綴じ準備するのだが、災害のためか「神戸新聞」は半月ほど届くことはなかった。神戸新聞は、震災によって壊滅したのだという噂も流れてくる状況だった。それが、ある日突然、その神戸新聞が束になって届けられてきたのだ。涙の出るほど嬉しかった。ぼくは、「よく頑張ってくれましたね」という激励の手紙と、それに合わせて、その場で、即興的に綴った詩も封筒の中に入れた。それがぼくにとっては名誉極まりないことだが、たいへんな騒ぎになった。そのことについて二月二十六日の神戸新聞〈正平調〉にはこんなふうに書かれている。

詩人の中原道夫さんは、非常勤で東京都立中央図書館勤めをしている。全国の新聞を収集しているのだが、震災直後から神戸新聞のことが気になっていた。定期的に来るはずの新聞が届かなかったのだ●気をもむ毎日だったがある日、中原さんの元へどさっと新聞の束が届いた。「その瞬間、〝うおっ〟という〝動物的な声〟が仲間の間から起こりました」。中原さんから、そんな便りをいただいた●うれしい激励の書かれた便箋の間から、別の小さな紙片が、はらりと落ちた。詩だった。中原さんの詩がしたためられていた。「おい、神戸新聞がきたぞ／だれかが言った／地震のあった次の日から／ずっと届いていなかった新聞である……」。神戸新聞を、詩でうたってくれた●「やったぁ、頑張っているじゃねえか／京都新聞との連携だそうだ」。動物的な声、と詩人が表現したのはここのところか。「新聞を綴じながら、ぼくは目頭が熱くなった／十数日ぶりに束になって届いた新聞……」●被災直後は、薄っぺらな新聞しか印刷できなかった。私たちは無念の思いをかみしめたが、中原さんは、こう言ってくれた。「わずか四頁の新聞も続いていたが／なんだか、被災地すべての人の／夢が託されているようじゃないか」●新聞だけのことではない。被災直後から元気を振り絞った人や店、企業は幾らもある。その後ケミカルシューズは二割が操業にこぎつけた。神戸製鋼も一昨日、重い図体を持ち上げた。その度、現場でも「うおっ」という声が上がる。それが全国の動物的な感性に励まされ響き合う。

朝のひとときに

―おい、神戸新聞がきたぞ
だれかが言った

地震のあった次の日から
ずっと届いていなかった新聞である
（やはり、被害が酷く壊滅状態なのであろうか）
他の新聞はどれを見ても
地震の凄さと被害の大きさを一様に報じていた

―やったぁ、頑張っているじゃねえか
―京都新聞との連携だそうだ
新聞を綴じながら、ぼくは目頭が熱くなった
交通機関のためか取次店の関係なのか判らぬが

十数日ぶりに束になって届いた新聞である
毎日案じ続けてきた新聞である
―十八日の分もあるじゃないか、十九日の分もあるぜ
わずか四頁の時もあるが、休むことなく続いていたのだ
災害にめげず新聞は発刊されていたのだ

―なんだか、被災地すべての人の
―夢が託されているようじゃないか

朝の新聞綴じの一時である

（朝のひとときに『詩集・阪神淡路大震災』）

この「朝のひとときに」は、百五十五名の関西の詩人が惨禍を越えて証言する詩集『阪神淡路大震災』に収録された。ぼくが東京在住の部外者であるのにもかかわらずである。それだけではない。ＮＨＫのラジオで紹介されたり、神戸在住の書家本多利雄氏の揮毫により大きな書額となり、現在、神戸新聞社役員室に掲げられている。しかもこの書額のレ

プリカまでつくられ、神戸新聞社ビル二階の阪神淡路大震災記念室に展示されているのだ。その時、ただ、自分の思いを届けたいと願って書いた作品が、このように、数えきれないほどの人たちの心に届けられているのを見て、ぼくは、詩を書くということは、やはり言葉の遊戯ではなく、真実を伝えることに、その本質があるのではないかとあらたに思わせられた。

一九九六年三月、詩誌「漪」を、旧い詩友十一人で発行する。「漪」は、さざ波とか、ちいさな波の意で、詩界に小さな波を起こしたい気持ちで出発したものだが、たいして波風を立てることなく今回の五十号記念号で終刊となる。しかし、「詩を生きる」「詩の心を伝える」「詩は言葉の遊戯ではない」との思いで詩作を続けてこられた詩人が多く、物故詩人、退会詩人を含め、六十七名の詩人の作品を読み返してみると、ほのぼのとした故郷がぼくの前につぎつぎと現れてくる。詩というのは、人間の心の中に存在する懐かしい故郷なのだろう。「漪」は二十五年に亘ってのぼく自身の歩みでもあったのだ。

極寒の知床で
――ぼくらの新婚旅行

厳冬期の知床は
猛吹雪であった

飛行機は欠航となり
外はマイナス二十五度

でもぼくらはお互いを
確かめあうためにここにやってきた

二人が寄り添うだけでは
けして和らぐことのない寒さ

でも自分の寒さが分かるから
相手の寒さも分かってくるわ

防寒着のフードの中に隠れているのは
相手の寒さを分かろうとする女の顔

あのケモノの鳴き声のような音は
流氷が寄り添って泣いている音なのだ

わたしたちも声を揃えて
泣いてみましょうよ

孤独って独りぼっちの寒さ
でもわたしたち
生きていけそう
お互いの寒さを知ったから

　吹雪のおさまった二日後
　ぼくらは釧路湿原で

番の丹頂鶴の祝福を受けた

一九九九年二月、ぼくはぼくと同じように伴侶を失った女性と結婚することになった。けい子である。媒酌人は知床の流氷。お互いに人間存在の哀しみの判る人間同士である。寒さゆえに、支え合うことの大切さが、身をもって感じられる旅であった。けい子は、山国育ちであったため、それからのぼくらの山行は著しく蘇った。モンゴル、二年にかけてのシルクロード、アラスカの北極圏、ヒマラヤ、アンデス、中国のシャングリラ、インド、モンブラン、マッターホルンと七十歳をすぎての旅だった。けれど不思議なことに、これらの旅は感動が大きく心に深く残るものであったが、詩想はなかなか捉えられるものではなかった。人間の卑小さに比べ、対象があまりにも大きすぎたのだろう。書くとすれば、きっとつまらない旅行案内や、ガイドブックになってしまうだろう。国内の旅は、主にスキー。蔵王、東北の山が定番であるが、八十歳の記念には、富士に登った。ニセコのアンヌプリスキー場を一気に滑り降りられたのも幸せであった。また、詩人の山尾三省夫人が妻の従妹なので、世界遺産の屋久島も何度か訪れ、洋上のアルプスといわれる屋久島の山々を楽しんだ。人間も実は自然の一部であることを認識した旅であった。

けれど、そんな自然とのふれあいの中で、突然、自然が怒り狂い、ぼくらに牙を向けてきたのが、二〇一一年三月十一日、東北地方を襲った「東日本大震災」である。地震の規模の大きさはもとよりであるが、福島原発事故を伴う世界を驚愕させる大地震であった。

人間の創った眼に見えない魔性が
ついに齎した放射能
ゴーストタウンの中を彷徨う命の形骸
犬でありけっして犬ではないもの

それは文明という名の呪縛に
しっかりと繋がれた
あなたの姿ではないのか
自ら創った文明によって滅亡に向かう
あなたの姿ではないのか

どこからか犬の遠吠えが聞こえてくる

（犬の遠吠え──後半『徘徊者』）

イギリスの歴史学者トインビーは「文明とは港のない航海である」と言っているが、留まることのない文明の魔性が、ついにその利便性を裏返しにして、核の恐ろしさをぼくらに提示したのである。これは、まさしく滅亡に向かう文明への警告である。海に向かうべき船が津波によって陸に押し上げられた姿も、文明そのものの末路を象徴しているように思えたが、いまだに原発依存、その浅はかさは、人類の驕りそのものと言ってよいだろう。被災地の方々の苦労とともに、原発問題については、苛立ちと怒りがないまぜになって今もぼくの心から消えることはない。またあの日、広報活動で最後までマイクを離さず昇天した、遠藤未希さんの行動は胸に迫るものだった。

―みなさん急いで高台に避難して下さい
あっという間に怒り狂った津波が
巨大な魔物となってすべてのものを呑みこんでいく
―みなさん急いで高台に避難して下さい

船が海に向かうのでなく
木の葉のように陸地に向かって流されてくる
―みなさん大至急高台に避難して下さい
車が流れてくる　橋が流れてくる
一度流された家が裏返しになってまた逆流でもどってくる
―みなさん急いで　急いで
渦巻く濁流が街全体に牙を向けている
堤防が崩れ　ビルが傾く
―みなさん　速く　速く

一瞬、建物をすっぽりと巻き込む津波
広報室もマイクも闇の中
—みなさん急いで高台に避難して下さい

けれど、わたしにはもう声がない
わたしの手にはマイクがない

お父さん　お母さん　大丈夫？
わたしの家は？　街の皆さんたちは？
いまわたしは濁流の中に自分の亡骸を残し
天に向かって歩いていきます　だから
—みなさん急いで高台に避難して下さい

（マイク『徘徊者』）

ぼくは、遠藤さんの行為をテレビや新聞で知った時、無念で無念でならなかった。これは、書き留めなくてはならないと思っているうちに、ご尊父には申し訳ないのだが、なんだか遠藤さんが、愛しい自分の娘のように思えてきて、こんな作品を書いてしまった。悔しい思いと、心の洗われるような遠藤さんへの気持ちが交錯する中で、何度となく、さまざまな場所で朗読をさせて頂いた作品である。ご冥福を祈るばかりである。

さて、戦争を知る数少ない人間の一人になって、近頃聞こえてくる進軍ラッパの響きは、とてつもなく気になるものである。城山三郎は「われわれが戦争で得たものは憲法九条だけである」と言っているが、いま戦争が起これば、世界は破滅するのだ。

そんなとき、どうしても自分の眼で検証したいと思っていたアウシュヴィッツへの旅が実現した。二〇一六年三月のことである。

『テレジンの小さな画家』などの著書を持つノンフィクション作家の野村路子氏のお誘いである。野村氏はアウシュヴィッツに二十数回も訪れている友人なので、ヨーロッパに疎く、しかも外国語に弱いぼくもなにも心配することなく同行することができた。ところが先日、居酒屋であった大学生に「アウシュヴィッツはドイツにあるんですか」と問われたのには驚いた。若者たちには、戦争の悲劇もナチス・ドイツも知らされていないのだ。ヒロシマ、ナガサキの原爆の悲惨さも、沖縄の悲劇も。

アウシュヴィッツという収容所をつくったのは、ナチス・ドイツであるが、その収容所があるのは、十四―十六世紀、ポーランド王国の首都があったクラクフから、七十八キロ離れた所にあるオシフィエンティムという街である。第一収容所は、一九四〇年に開設された強制収容所で、入口に「働けば自由になれる」（ARBEIT MACHT FREI）という文字が掲げられていて、そこに立っていると、なぜか自分もここに囚われているのではないか、というような言い知れぬ恐怖と不安を感じたりもした。けれど、ところどころに張り巡らされている有刺鉄線を取り除けば、建物は立派な赤レンガ造りで、どこかの大学のキャンパスを歩いているような気持にもなってくる。有刺鉄線には六百ボルトの電流が流れていて、あまりの空腹のため、有刺鉄線の向こう側に生えている草を食べようとして手を出し、即死した人、あまりの苦しさに自ら鉄線に触れ自殺した人など、後を絶たなかったとのことである。建物の中に入ると、犠牲者の残した遺品の山が、ガラス張りの展示室に堆く積み上げられている。小さな赤ちゃんの洋服、壊れた人形の数々、トランクの山、数えきれないほどの靴の山などに、やはりここが、非道極まりないナチスの収容所であったことを再認識する。なかでも、ぼくの心を強く突き刺したのは、惨殺された女性たちの髪の毛の山であった。なかにはその髪の毛で織られた絨毯のような布もある。じっと見ていると、ブロンドの髪の毛や、金髪の髪の毛が、舞い上がり、涙しながらウインドーを飛び越え、ぼくの心の中に飛来してくる。あちらこちらから悔しさと憎しみが、嗚咽となって聞こえてくる。ぼくはいたたまれなくその場を立ち去るが、いつしか自分自身も囚われ人の一人になっていることに気がつく。そして「命」とは何であるのか、「死」とは何であるのか、そしてもう一つ「生きている」とはどういうことなのかを自問する。

わたしは反抗したわけではない
罪を犯したわけでもない
ただ民族が異なるというだけだ
わたしの名前はすでに奪われ
だからわたしはこの世に存在しないのだ
わたしは生きているのか
わたしは死んでいるのか

わたしを包んでいた衣服は
すべて剝ぎ取られ
わたしのしっとりした髪の毛は
すべて切り落とされ
わたしは生まれたときの嬰児の姿になる

わたしは指を噛む
わたしだけが知る激しい痛みと血の匂い

けれど、この痛みと匂いこそ
まだわたしが生きているという証しではないか

○○番、列を乱さずさっさと中に入れ
獰猛なナチスの兵士が
がむしゃらにわたしの背中を押す
シャワー室と呼ばれたその部屋は

殺戮のためのガス室
一瞬、憎悪と怨念だけを残して
わたしの痛みも
血の匂いも消えていった

（血の匂い『忘れたい、だから伝えたい』）

一九四一年、ヨーロッパにいるユダヤ人、千百万人の絶滅を図ったナチスは、第一収容所のキャパシティでは無理になって、第一収容所から一・五キロほど離れたビルケナウ（Birkenaw）という静かな農村の林を切り開いて、第二収容所（絶滅収容所）を作った。〈死の門〉と言われる門を潜ると、広大な土地の真ん中に線路が通っている。あの膨大な犠牲者を貨物列車に乗せて運んできたのだ。ここでいちばん驚いたのは、あまりにも残酷な女性用のトイレである。それは数十メートルに及ぶコンクリートのベンチのようなものに、ずらりと穴が、ただ並んでいるだけのものである。

一列に約五十、それが三列

丸く抉り掘られた縦穴が
竈を並べたように続いている
その縦穴から漂ってくるのは
言葉にはならない女の恥辱

ここで収容された女性たちは
囚人服の裾を捲り上げ恥部を顕わにしたまま
尻と尻を背中合わせに　尻と尻を隣り合わせに
便も尿も唇を噛みながら排泄していたのだ

（トイレ『忘れたい、だから伝えたい』）

これほどまでに人間の尊厳を弄ぶものがあるだろうか。これほどまでの辱めがあるだろうか。ここだけは、その残酷な光景と悪臭のために、さすがのナチスの銃剣も警備が甘かったと言う。生物界で同類に残忍な行為を行うのは人類だけだというが、戦争は人間を人間でなくするものなのだ。殺すもの、殺されるもの、だが、争いがなければ、どちらも国を越え、ホットワインを飲んでいただろう。事実、ぼくはその日の夜、ユダヤ人とドイツ人が仲良くクラクフのホテルで、ワイングラスを傾けている姿を、隣のテーブルで見ていたのだ。

翌日の夜、ぼくらはクラクフを発ち寝台夜行列車で、チェコのプラハに向かった。国境付近でトラブルがあり一度、眼を覚ましたぼくはなかなか寝付けなかった。ガタガタ、ゴトン、ゴトンという列車の響きを聞いていると、これは寝台夜行列車ではなく、アウシュヴィッツに向かう貨物列車ではないか、と思われてくるのだ。洗面所に行くと、やはり同じ思いの仲間が、「なかなか眠れなくて」と話しかけてくる。頭の中で昨日見たものが甦ってくるのだ。寝惚け眼でプラハのホテルに着き、朝食を取った後、ぼくらは第二の見学地テレジンに向かった。

テレジンはかつて「小要塞」と言われ、高い塀に囲まれたオーストリア守備隊の駐屯地であったが、後にナチス・ドイツの牢獄として使われていたところである。壁と塀に囲まれ、きちんとした建物があるということで、ナチスにとっては、絶好の収容所であったのだろう。はじめは主としてチェコ人の政治犯、反ナチスの運動家、文化人などを送り込んでいたが、次々に送られてくる人の数が増えて、収容しきれなくなると、ナチスは街の住人六千人を、よそへ強制的に移住させ、街全体を収容所としたのだ。ここへ送られてきたのは十四万四千人であるが、四分の一にあたる三万三千人がここで死に（多くは餓死）、八万八千人がアウシュヴィッツなどの絶滅収容所に送られた。いわばテレジンはアウシュヴィッツへ向かう貨物列車の中継地であったのだ。ここには一万三千人の子どもたちも収容されていたが、生き残ったのはわずか百人であった。慣れない労働に従事させられ、すっかり笑顔を忘れていた子どもたちに、希望を与えたのはウィーン生まれの画家フリードル・ディッカーであった。彼女は「明日はいい日になる、希望を持って生きよう」と声を掛け、子どもたちに拾い集めた紙に絵を描かせた。解放後、その絵が四千枚も見つかり、いまはプラハのピンカス・シナゴーグに保管されている。日本にも百六十枚の絵のレプリカがあり、野村路子氏により、日本全国で展覧会が催されている。ところでテレジン収容所でぼくが、衝撃を受けたのは、ナチスのここまでやるのかというその残忍さである。死刑囚を歩かせた暗闇の五百メートルに及ぶ道である。行き先に待っているのは、絞首台と、銃殺のための処刑場である。

高所恐怖症ではなく此処を歩くと
だれでも低所恐怖症になってしまうのです
関西訛りのガイドが意味ありげに言った

かつて此処を歩かせられた
たくさんの死者の霊がそうさせるのであろうか
ナチスの理不尽な殺戮の恐怖が
不気味にも背後からじわじわと迫ってくる

ライオンも豹も獲物を残酷に襲うが
同類をいたぶることはない

名前が番号に変えられ
人であることを奪われた囚われ人たちが
死の恐怖に慄きながら歩かされた
この五百メートルにも及ぶ暗闇の道

ところどころから
差し込んでくる僅かな光が

却って死の恐怖を現実のものとする

いたぶる　それは
獣にはない人間だけの持つ残忍さ

この地下道を潜り抜けると絞首台と
銃殺のための刑場がほくそ笑んでいる

囚われ人たちの断末魔の絶叫が
突き刺さるように聞こえてくる

ふと見上げれば
天頂にまで広がる蒼い空

そこには国と国との境もなければ
争いもないのに

死刑にされる人間の心を、これほどまで弄ぶ残忍さ、そのナチスの狂気は、いま検証者として、その道を歩くぼくの背中にも乗り移り、恐怖をそそってくれた。ところどころにある明かり窓から刺す光が、かえって不気味さを強くする。この暗闇の道の先にあるのは、銃殺のための刑場と絞首台。囚われ人は死への道を、どんな気持で歩いていったのだろう。ぼくは自分があたかも処刑者であるかのような戦慄と恐怖を味わいながら、五百メートルの暗闇の道を潜り抜けた。

プラハから二十キロほど離れたところにあるリディツェ村は、「虐殺の村」「絶滅された村」としてホロコーストの歴史に残る村である。当時、ナチス・ドイツの占領下におかれていたチェコスロバキアに、副総督として赴任したラインハルト・ハイドリッヒは、ヒットラーの後継者といわれる実力者であったが、反ナチス解放軍の兵士によって銃撃され死亡した。怒り狂ったヒットラーはレジスタンスの若者の一人がこの村の住所を書いた紙を持っていたことから、村人すべてを広場に集め、男性は全員射殺、女性はトラックに詰め込み、ドイツにあったラーフェンスブリュック絶滅収容所送りにした。いっぽう金髪で青い眼の子どもは、「ドイツ人化」できるとして、ドイツ人の家庭に送り、他はみなヘルムノ収容所のガス室で殺した。男性百九十二人、女性百六十二人、子ども八十七人を殺害しただけでなく、村はすべて焼かれ、川の流れは変えられ、土地はならされ、地図からもいっさい「リディツェ村」を抹消したのだ。現在、ここは平和を祈る人たちの手によって新しい村ができ、記念館の中には犠牲者の写真が飾られ、世界各国から送られた薔薇の花が美しく咲き、犠牲になった子どもたちの銅像も建っている。

残忍さはその残忍さを
行使すればするほど
より残忍なものになっていく

だから

一九四二年六月一〇日
突如、呼び出された男性一九二人は
もの言うこともなく即座に射殺され

女性一六二人　子どもたち八七人は
死の絶滅収容所のガス室に送られた

人だけではない　パン屋も　肉屋も
学校も　村役場も　建物すべてが焼き尽くされ
土地はならされ　川の流れまで変えられ
リディツェ村はこの世からすべてが消えてしまった

ヒットラーの側近ラインハルト・ハイドリッヒが
反ナチス解放軍の闘士に銃撃され
一人の若者のポケットに
この村の住所を書き記した紙切れが
ただ、あったというだけで

それは狂いに狂ったヒットラーの
「血の報復」

けれど、いまここにあるのは
解放後、平和を祈る人たちによって
建てられた平和記念館
甦った緑の丘　澄みきった空

親族友人の手によって造られた
いたいけな子どもたちの銅像が
語りかけてくる

あなたたちは戦争の悲劇だったと
涙を流して言うのでしょうが
あなたたちはナチスの暴虐だったと
異口同音に言うのでしょうが

あなたたち

これからの時間どう生きますか

（地図上から消えたリディツェ村『忘れたい、だから伝えたい』）

その日の午後、ぼくらはプラハに戻り、聖キリル・メトディウス教会に行った。ここはハイドリッヒの暗殺に関わった兵士が逃げ込んでいた教会である。兵士は地下にある納骨堂（棺を置くところ）に司教の計らいで隠れていたが、情報を手に入れたドイツ軍が包囲し、激しい銃撃を加え、消防車を繰り出しての水攻めで、逃げ場を失った兵士たちはついに全員自決した。彼らを匿っていた司教は逮捕され、処刑された。いま、その地下の納骨堂にある七体の英雄の銅像の前には、花束が絶えることはない。財産があり、豊かであり、頭脳明晰であるユダヤ人であるがゆえに、ヨーロッパすべてのユダヤ人の殲滅を実行したヒットラーにより、チェコ全土で犠牲になったユダヤ系住民の数は七万人を超える。ピンカス・シナゴーグには、その犠牲者の名前が、地区毎に白い内壁にびっしりと書かれている。その家の家長の名前が赤で書かれ、その後に続くのが家族の名前と生没年であるが、没年の多くは一九四三年である。館内はユダヤ音楽をバックに鎮魂の時が静かに流れている。二階にはテレジンの子どもたちの絵が、「もう戦争なんてしないで」と訴えるように展示されていた。写真を撮ることができないので、ぼくはその一枚をしっかりと模写した。

この旅は、ぼくにとって「アウシュヴィッツ」の真実を「知りたい」ということであったが、それを果たせた今、それを「伝えたい」という気持で、いっぱいである。それはナチスの残酷さや残忍さをただ伝えたいということではない。一口に言えば、それらを産む戦争をけしてしてはならないということである。テレジンの子どもたちの絵はそれを語っている。出発前にぼくらはポーランド大使館に招待されたが、そのとき大使のゴザチェフスキさんはこんなことを言った。「信じられない実際にあったことが、アウシュヴィッツにはたくさんあると思います。そのことを風化させずに後世に伝えることが、そこで苦しみ亡くなった人の慰めになる」と。これはヒロシマ・ナガサキ・オキナワにも言えることである。

今、ぼくの心に大きく残っているのは、あの子どもたちの銅像が、「あなたたち／これからの時間どう生きますか」とぼくに語りかけてきたことで、これはすべての人に投げかけたい言葉である。

Ⅱ　詩の周辺について

現代詩と俳句

血の中に流れている五・七のリズム

定型詩といえば、韓国では時調、中国では絶句・律詩などが挙げられるが、日本の伝統的定型詩といえば、俳句・短歌が挙げられるだろう。歴史的には短歌が旧く、俳句の生みの親にあたるが、いま国際的に趨勢を誇っているのは俳句である。けれど、どんなに「俳句」がグローバル化しても、他国の言葉で、「俳句」の内包する世界を表現することは、多難なことであろう。他国の言葉に翻訳されたもの、他国の言葉で俳句として書かれたものが、その詩情を、少なからず伝えることが出来たとしても、それは、俳句というより、俳句的発想による三行詩というべきだろう。基本的には俳句は五・七・五という形式と、季語によって生まれるものである。定型詩とは一定のリズムを持つ詩歌をいうのだろうが、そもそも日本語には脚韻がないから、日本人の心に響くこの五・七や、七・五のリズムが日本の詩歌の源となっている。ちなみに短歌の形式は、五・七・五・七・七の五句によるリズムである。また、日本伝統的文化である歌舞伎の台詞、長唄、端唄、民謡、そしていま歌われている歌謡曲の歌詞なども、ほとんどがこれらのリズムでつくられている。言葉を替えて言えば、五・七や七・五のリズムは日本人の体の中に流れている音律なのだ。例えば端唄の都都逸の歌詞は七・七・七・五で歌われている。端唄とは今で言う歌謡曲、つまり、庶民の唄である。

遠く離れて・切れたと見えて
手繰りゃまたくる・凧の糸

五・七のリズムは、このように日本人の心の中に滔々と流れている民族のリズムなのだ。それでは先ず、短歌について、『広辞苑』を開いてみると「和歌の一体。長歌に対して五・七・五・七・七の五句体の歌。記紀（『古事記』『日本書紀』）歌謡末期・万葉集初期の作品に成立、古今を通じ最も広く行われ、和歌といえば短歌を指すに至った」と記述されている。つまり、さまざまな形態のあるわが国の歌をなべて、和歌といっていたのだが、その中心的な短歌が、和歌（日本の歌）と言われるようになったということである。

一方、俳句についての記述は「五・七・五の十七音を定型とする短い詩。連句の発句の形式を継承したもので、季題や切字をよみ込むのをならいとする。明治中期、正岡子規の俳諧革新運動以後に広まった呼称であるが、江戸時代以前の俳諧の発句を含めて呼ぶこともある。短歌と共に日本の短詩系文学の二潮流」とある。要は、短歌は五・七のリズムで五句三十一音で構成され、俳句は三句十七音で構成される短詩型文学であるということである。

俳句には季題（季語）を詠むという制約があるが、昨今、それに捉われずに作句をするという風潮もあるが、季語を入れるという、その厄介なならいによって、俳句の伝統的深い味わいは生まれるのではないかと思う。

五月雨をあつめて早し最上川　　松尾芭蕉

さみだれや大河を前に家二軒　　与謝蕪村

孤（みなしご）の我は光らぬ蛍かな　　小林一茶

　この三人の俳人はともに江戸時代に活躍した国民的俳人と言ってよい先達であるが、同じ「五月雨」を詠んだ句であっても芭蕉と蕪村の句では大きな違いがある。両者、五月雨と言ってはいるが、この時代は旧暦であるからひと月遅れの六月で、梅雨前線が日本列島に停滞し大雨を降らせる頃のことである。芭蕉の句は、大雨によってごうごうと唸りを上げて流れる最上川の激しい水勢を目のあたりに見るようである。芭蕉は一六四四年生まれで、一六九四年没の俳人で、俳諧に高い文芸性を賦与し、句聖と呼ばれている人である。

　一方、蕪村は、一七一六年生まれで、画家でもあり、感性的・浪漫的俳風を生み出し、芭蕉と並び称されている俳人である。蕪村の句は、大雨によって刻々と水かさが増している大河に、あわや家が二軒呑まれてしまいそうな光景を詠んだものである。画家でもある蕪村のイメージによる作句で、これは五・七・五という十七音の言葉によってつくられた映像と言ってもよいだろう。音律よりイメージという現代詩の手法を、蕪村は、すでに十七世紀に感知していたのである。しかも五・七・五という決められた俳句によってである。

　小林一茶は、一七六三年生まれで、芭蕉、蕪村に比べ、悲愁惨憺たる生涯を送った個性的な庶民派の俳人である。現代日本で著名な俳人の金子兜太は、俳句は、句聖の芭蕉や蕪村ではなく、日常の体験を句にして、生き抜いてきた小林一茶にあるのではないか、と言っているが、それは「詩（俳句）は日常の経験の中から生まれるものでなければ、ほんとうのものではない」ということなのだろう。ここに引用した一茶の句は「みなしごの私は光のない蛍だ」と巧みな喩を使って、自分の侘しさと、孤独感を、読む者の心に訴えている。これも「詩は〈喩〉である」という現代詩の概念に繋がっていく作品である。

それなら、いま近代の俳人はどうであるかというと、一部の俳句作家を除けば、それぞれがそれぞれの師匠すじの結社に所属し、作句を続けている。それは文学として俳句に自分を賭けるとか、生涯を俳句人生とする、というようなものではない。いま、俳句の結社は三百から四百ぐらいあり、俳句人口は百万人と言われているが、これらの人は真摯に文学をするというより、趣味の段階で俳句を楽しむという人の数であると言ってよいだろう。

けれど、そういう俳句の世界に、いたたまれず、俳句の真実（詩の真実）とは何かを、追求した漂泊の俳人たちもいる。種田山頭火（一八八二―一九四〇）と、尾崎放哉（一八八五―一九二六）である。二人の俳人の漂泊の旅は、俳句の五・七・五のリズムを壊し、季題を無視した自由律俳句、つまり切り詰めた短い言葉で、詩境を求めていくことにあったのである。

分け入っても分け入っても青い山　　山頭火

どこまで行っても青い山、それは〈原郷〉を追い求めて歩く山頭火の人生の旅である。俳句の真髄を求めること、それ自体が、山頭火にとって、生きることであったのだ。

咳をしてもひとり　　　　放哉

若いとき、この八音の句に始めて触れ、これは誤植か、印刷ミスではないかとさえ思ったこともあったが、言葉を削り取り、削り取っていくとこういう句になるのかという作品である。放哉は東京大学法科を卒業し、保険会社に入る。しかし、その後一切を捨て放浪生活に入り、四十二歳でこの世を去った。Ｒ・Ｍ・リルケは「たった一行のために詩を書くのだ」と言っているが、放哉の人生はこの一句のためにあったと言ってもよいだろう。山頭火は、生前会うことのなかった放哉に和して、こんな句を詠んでいる。

鴉啼いてわたしもひとり　　　　山頭火

真の詩歌というものは、真の孤独を体験することにあるのだろう。愛する人がいても、可愛い子どもたちに囲まれていても、生きるものすべて孤独なのだ。産まれたときもひとり、死ぬときも、人はみな独りなのだ。

現在、俳句は海外でも人気があり、ブームになっているが、われわれの考えている俳句が、外国語に翻訳されて、はたして成立するかというと怪しいものである。季語はただ季節を表す言葉というだけでなく、そこに内包されているさまざまな思いや、隠された意味、風俗などが含まれているからである。国際的な俳句というのは、結局は前述のように、俳句的発想の三行詩ということになる。山頭火や放哉が多くの人に読まれているのは、そこに「詩」があるからであろう。宗匠、結社の足枷、俳句の世界の旧態依然とした概念に捉われて、「詩の源」のなんであるかを忘れているのが、一部の俳人を除いての俳句の世界と言ってよいだろう。

確かに海外における俳句ブームもさることながら、日本における俳句人口にも眼を見張るものがあるが、文学としての俳句の落とし穴は、五・七・五の定律の中に季語を入れれば、「句としての形が成立する」という安易さにあるのだろう。いつだったか、現代俳句協会の元会長の松澤昭が「低迷する俳句の世界で、大切なことは新しい季語を見つけることだ」と話していたが、これは含蓄のある言葉である。わが家の書斎にも、埃に塗れた数分冊に分かれた「歳時記」があるが、その季語というのは、現代社会の日常ではほとんど死語といってもよいものである。もちろん死んでいる季語を、現代に蘇生させると言うことも必要であるかもしれないが、自己の精神の解放を為し、現代社会に対峙しなければ、俳句はたんなる言葉の遊びに終わってしまうだろう。現代に生きる俳人の句を紹介しよう。

妻病めり腹立たしむなし春寒し　　金子兜太

私は現在健康で元気いっぱい生きているが、いつも妻に言っていることがある。それは、「頼むから、俺より先に死ぬな」ということである。この兜太の句、正にその男の心情を句に載せたものである。腹立たしの「し」、むなしの「し」、春寒しの「し」が一つのリズムをつくり心象をより効果的に表現している。金子兜太は、藝術院会員で、日本を代表する俳人である。

夜のさくらひそかに己が声もらす　　田中水桜

ご高齢の水桜ならではの句と言ってよいだろうが、逆にいえば真摯に生きてきたからこそさくらの声が心に伝わってくるのだろう。

生も死もたった一文字小鳥くる　石　寒太

作者は、山頭火や放哉の研究家であるが、正に句の中に、山頭火や放哉が生きている。「生も死もたった一文字」という言葉の発見、句そのものが、一つの凝縮された哲学のように心の中に突き刺さってくる。

死は自動ドア・三面鏡は万緑　高橋比呂子

この句は、新しい俳句をめざして活躍している若い人の句であるが、かつて東京六本木のビルの回転ドアに挟まれて死者が出た事件を、文明批評として捉えた作品である。事件の残酷さと「三面鏡は万緑」の対比によるアイロニーが面白い。俳句と言いながら、「現代詩」とも呼んでいい作品である。それは現実に対峙し、社会を洞察する目が作者にあるからだろう。死という不条理に対して三面鏡に映る燃えるような緑。これは、はるかに山野で見る緑より強烈に読む者の心に伝わってくる。

　ところで私は五・七や七・五のリズムは日本人の心の中に流れているリズムだと言ったが、現代詩の中にもこの五・七のリズムは、作者自身の知る知らないの有無は別として、生きている。

ゆき

草野心平

しんしんしんしん□
しんしんしんしん□

しんしんしんしん□ゆきふりつもる
しんしんしんしん□ゆきふりつもる
しんしんしんしん□ゆきふりつもる
しんしんしんしん□ゆきふりつもる
しんしんしんしん□ゆきふりつもる

しんしんしん□
しんしんしん□

この作品、日本を代表する詩人草野心平の詩集『牡丹圏』の中にある作品であるが、わずか「しんしん」「ゆき」「ふりつもる」の三語で構成されたものであるが、ゆきがとめどなく降っている光景と、「しんしんしんしん」という擬音語によって雪の音まで聞こえてくるような名詩である。ところが、この「しんしんしんしん」は、「しん・しん・しん・しん・(休止符)」とすると五音になる。そして「ゆきふりつもる」は七音である。つまり五・七の調べで作られた現代詩なのだ。いわゆる旧い定型の五七調の作品ではないが、その底にやはり日本人の血の中に在る五・七のリズムが流れているのだ。中原中也の作品にも言えることである。

汚れつちまつた悲しみに
今日も小雪の降りかかる
汚れつちまつた悲しみに

今日も風さへ吹きすぎる

この中也の作品は完全な七五調のリズムで書かれた作品であるが、同じ七五調と言っても、次の島崎藤村の作品とは、まるっきり詩の発想が違う。

まだあげ初めし前髪の
林檎のもとに見えしとき
前にさしたる花櫛の
花ある君と思ひけり

藤村の作品が自分の前にある対象をうたっているのに対して、中也の作品は、自己の悲しい体験を、雪、風に擬え「喩」として作品をつくっている。多くの人に読まれているこの作品は、中也の内面的詩情もさることながら、日本人の心の中に滔々と流れている七五調のリズムによって、読者の共感を強く得ている詩である。ぼくは、若い頃、雪の降る夜の新宿のネオン街を、反吐をはきながら、この中也の詩を口遊みながら徘徊したことがある。その時、この詩は、中也の詩ではなく、ぼくの詩になっていた。「汚れつちまつた悲しみに」という言葉の持つリズムが、ぼくの中に流れているリズムと共鳴し、呼応したから口遊みやすかったのだろう。ぼくの中に眠っていたリズム。だれしもの心の中に眠っていたリズム。中也はそれを掘り起こしてくれたのだ。良い詩というのはそういうものだ。

本人が意識して書いたかどうかは不明だが、新川和江の「わたしを束ねないで」なども、巧みな五七調のリズムで詩を構成している。

①　わたしを□束ねないで□
　　あらせいとうのはなのように
　　・・・・・・・・・・・・

②　わたしを□止めないで□
　　標本箱の昆虫のように
　　・・・・・・・・・・・・

③　わたしを□注がないで□
　　日常性に薄められた牛乳のように
　　・・・・・・・・・・・・

④　わたしを□名付けないで□

娘という名　妻という名
・・・・・・・・・・
⑤
わたしを□区切らないで□
コンマやピリオドいくつかの段落
・・・・・・・・・・

各連の冒頭の二行だけの引用だが、さすが新川和江、「わたしを」の四音の後と、下の六音の詩語の後に息継ぎの休止符を入れ、活気ある五・七のリズムで、読者との共感を誘っている。茨木のり子の代表作、「わたしが□一番きれい・だったとき」などもよくみれば、まったく俳句の五・七・五音と同じなのだ。

ところで、いま現代詩が一般の人にあまり読まれない理由の一つに、イメージを重視するあまり、詩の音楽性を排除していることが挙げられるだろう。言葉というのは、ほんらい日常の生活の中から生まれるものなのだろうが、西脇順三郎は「実際に視覚の世界は聴覚の世界よりもはるかに多い。詩の美というものは音楽性よりも絵画性によって多く来る」と言っている。けれど、はたしてそうであろうか。西脇の言わんとしているのは、言葉のリズムだけでなく、イメージの展開によって詩は創造されるべきであるということなのだろうが、言葉のリズムとは言葉のいのちである。いのちを破壊して、人の心に伝わる詩が創造できるはずがない。詩とは何か。それについては、先達詩人が様々な詩論を展開しているが、『広辞苑』には「文学の一部門で、風景人事など一切の事物について起こった感興や想像などを一種のリズムを持つ形式によって叙述したもの」と、至極当たり前すぎることが当たり前に記述されている。けれど、いまぼくらは、そんなことは解っていると、無視できるだろうか。詩にはリズムがある。しかも日本人の心の中に滔々と流れている否定することの出来ない五・七・五音のリズムである。先にも述べたように、現在、俳句のブームは目覚ましいものがあるが、それは一口に言えば五・七・五音の短い言葉で一切のものをうたいこめるということにあるのだろうが、この現代の複雑な日常を表現しきれるかと言えば疑問である。だから、旧態依然とした五七調、七五調のリズムを取り上げろと言っているのではないが、草野心平のように、新川和江のように、茨木のり子のように、多くの人と共鳴しあうリズム、共感しあうリズムで詩作を進めることが肝要ではないか。詩は読み手の共感によって成立するものなのだ。詩語の音楽性の欠如は、グローバル化にともなう平板的翻訳詩の訳語の影響にあるかもしれない。

（日、中、韓定型詩のシンポジウム　韓国大邱での講演内容）

「詩」と「エッセー」の境界

近頃、混沌としたこの現代社会を書くには行分け詩では拾いきれないものがあり、散文詩と言われるものも書くようになった。詩の形態にも、その表現の仕方にもいろいろあるだろうが、詩作というのは心に浮かんだ詩的衝動を、言葉に置き換えることから生まれるものであるから、詩の技法や形態は、さまざまなものがあっていいはずである。けれど、とある読者から「散文詩とエッセーとどこが違うのですか」とか、「最初は散文ではないかと読んでいたが、終わりになってやっぱり詩の世界に誘われていた」とかのお便りを頂いた。このことから、いままで自分では分かっていたつもりであったが、いま一度、「詩とは何か」について検証すべきだと思った。

先ず『広辞苑』を開いてみると、詩についてはこんなふうに記述されている。

風景・人事など一切の事物について起こった感興や想像などを一種のリズムをもつ形式によって叙述したもの。押韻・韻律・字数などの律格あるものと、散文的なものとがあり、また、叙事詩・抒情詩・劇詩などに分ける。

これはまったく詩について当たり前のことがすべて恙なく書かれていて、さすが辞書ならではの答えと思ったが、はたしてこれで、「詩」という概念がはっきりと頭の中に浮かび、「詩」と「エッセー」の違いについて、考えることができるのだろうかと思った。もちろん「エッセー」については、「自由な形式で書かれた、思索性をもつ散文」と書かれている。

このことについてポール・ヴァレリーは、「詩は舞踊で散文は歩行」と言っているが、これは詩にはリズムがあるということであろう。われわれは、寄せる波、引き返す波によって、その都度揺れ動く陸と海を、なんとなく一本の海岸線によって分けている。「詩」と「散文」の境界についても同じようなもので、ようはそこに詩人の感性が生み出す「詩」の存在の有無によって、判断すべきものなのだろう。たしかに昨今、現代詩という頭でっかちな知的概念で書かれた作品の中には、そこに強烈なメッセージや思想があっても、心を揺り動かす詩情のないものや、行分け詩の形態を持ちながら、終始自己の体験や状況の説明に終わる「散文としかいいようのない作品」も少なくない。ちなみに詩の古典とも言うべき『詩経』では、詩の発生について、こんなふうに書かれている。

「詩は、志のおもむくところにて、こころのうちにあるときはそれを志と言い、言葉に発したとき、それを詩と名づける。情が、うちにうごいて言葉にあらわれるはじめは歓声となるが、それでもなお不満足な場合は、それをながく詩のかたちにして、のこすことになる」

（金子光晴「詩とは何か」より）

これは、詩の定義を示したようなもので、詩は感動（詩的衝動）を言葉に置き換えたものであるということなのだろう。

一方、西洋ではどうかというと、アリストテレスが、『詩学』の中で「人間は最も模倣的な動物であり、同時にまた模倣されたものに悦びを感ずるもの」であると言っているが、これは「詩」が「喩」であるということを、真似るという言葉に置き換えて言っているのだろう。喩えるということは、ある意味で類似したものを真似るということである。感動を喩に置き換え、そこに醸し出される抽象の世界が、詩と言えるものなのだ。

山の人

山がきれいなのでそうみえるのであろうか
山に住んでいるから美しいのであろうか

一度だけでよい
だれかが僕のことを美しい人だと言ってくれぬか
あなたは山のような人だと

小淵沢――
小淵沢――

真っ白に雪をかぶった八ヶ岳に
僕は大きなおじぎをして汽車にのった

（詩集『雪の歌』より）

この詩は、ぼくが二十代に書いた作品であるが、いまでも、このときの雪と氷に覆われた八ヶ岳の感動は忘れない。違うのは、いまぼくが六十年前のぼくに戻り、ピッケルやアイゼンをつけて山に挑戦できないということである。けれど、この時ぼくの感じた感動というものは、いまでもこの作品を通して心の中に強く蘇ってくる。これは、感動を「詩」というものに残しているからなのだろう。ぼくはこの頃、ひたむきに山にあこがれ、山に登っていたが、トレーニングのため毎日の日課に、朝八キロほどのウォーキングを楽しんでいた。次の作品は、そのとき歩いていた山のことを、地域の新聞に書いたエッセーである。

恋人のような山

所沢の中心から約三キロ、ちょうど多摩湖の向かいに「荒幡の富士」と呼ばれている小さな山がある。海抜百メートルちょっとの狭山丘陵に連なる小さな山であるが、いつもぼくはこの山に続く尾根を散歩する。

山というのは不思議なもので、その山の高さ、低さにかかわらず優しく微笑みかけてくる山と、そうでない山とがあるが、この山はまったくぼくにとって恋人であり、この山の頂に立つとぼくは、いつでもぼくのための世界を心の底から感じてしまう。山のすぐ下の、山口地区の田や畑の美しさ。地平線ぎりぎりにその広がりを見せてくれる武蔵野台地。けれど、この山をぼくが愛するのは、そんな風景の美しさに、ぼくが浸りたいからではない。生きることの忙しさに、仕事に、いつとはなしに忘れがちな自分自身の存在を、生を、山が優しく語ってくれるからだ。

「あじさいは生きることしか知らぬのだ。しかし、ぼくらは生きること以外に、あまりに多くのことを知っている」

リルケのいうように、生きるために、あまりにも多くのことを知りすぎて、かえって不幸になっていくぼくらの生活。ぼくは今年こそ、どんなに貧しく、素朴であってもかまわない。この山のように優しく生きていこうと思う。ぼくの春。ぼくの春は武蔵野の小さな山から始まる。

二つの作品を比べてみると、前者の「山の人」は、八ヶ岳の崇高な霊気に洗われた汚れのない山の人と、文明の垢にまみれて生きている己の卑小さへのメッセージでもあるのだが、その強い思いは、自分の内部から身体そのものを震わすように沸きあがってくるものであり、眼前にそそり立つ冠雪の八ヶ岳そのものの神聖さでもあった。どうしても言葉にして残したい、そんな思いで帰りの車中で手帳に書き残したものである。けれど、その思いは、なかなか言葉にならず、八ヶ岳に向かって、ただ「大きなおじぎ」をするという、「喩」によって、感謝の念を表現するしかなかったような気がするのである。

一方、後者の「恋人のような山」は自分にとってひじょうに関わりのある「荒幡の富士」の説明と、リルケの言葉を引用しながら、生の本質についてぼくの見解を述べたものである。このように譬えるという「喩」によって構成された詩と、事実や現実の姿をそのままに綴っていくエッセーを、ぼくは若い時からともに文学として、使い分けていたような気がする。ただ、どちらも、独善的な観念や、思考によるものでなく、日々の生活の中に隠されている真実を、真摯に掘り起こすことを心がけていたように思うのである。

ぼくは先に、詩は感動を喩に置き換え、そこに醸し出された抽象の世界でなければならないと書いたが、もう、一つ付け加えるのなら、詩は経験から生まれるものでなければならないと言うことである。けれど、あったこと、体験した事実を連綿と続けるのは、記録であり、日記にすぎないものであろう。演劇の舞台は、日常生活や社会生活を演じながらも、舞台という非現実の世界を創造している。秋山英夫は『0(ゼロ)の文学』(新リルケ論)の中で、こんなことを言っている。

詩人にとっての現実とは、いわば透明になった事実性、反復された現実である。第一次の直接的現実を失うことによって始めて獲得される第二の現実だけが、詩人にとっての現実である。ここで「反復」というのは、事実の繰り返しを言うのではない。失って得たがゆえに「反復」と言うのである。反復によって得られた現実は、直接的現実ではなくて、反省された直接性である。事実性と距離をおいている意味では反省的であるが、距離をおくためにかえって身近に迫るものがあり、純化圧縮された現実のみが意識に肉迫する意味に於いては、かえって直接的なのである。詩人はこのような反省された直接性のために、直接的現実を放棄し断念するのである。しかし現実が詩的に反復されるとき、その反復は彼にとって意識の自乗となる。喜びも悲しみも二倍になって詩人にもどってくるのである。詩人とはこのような反復のために事実性を失う存在にほかならない。

反復された現実とは、言葉を替えれば、詩的現実ということなのであろう。それは創られた現実とも言えるだろうが、けれど今、その揺れ動く直接的現実を放棄して、第二の現実を描くことは難しい。現実が世界規模で歪められ、文明そのものに苛められているからである。自然災害、気象の異変なども大きな社会現象と言えるだろう。そんな現実に詩人が対峙すればするほど、思索的になり、事実を事実として書く掛け声になっていく。あるいは、観念的になり現実を無視した言葉の遊戯になっていく。けれどそういう残酷な現実を純化圧縮し、第二の現実を感動的に描いた詩人もいる。

町　　杉山平一

歪んだり
潰れたり
ぐちゃぐちゃになったり
これは水に映った町
ではないのか

風よ　吹くな
ひとよ、石を投げるな

水面が端正にしずまるまで

（『詩集・阪神淡路大震災』第二集より）

これは、一九九五年一月十七日に起きた、「阪神淡路大震災」後、杉山平一が書き、教科書などにも掲載された震災の詩であるが、実に見事に、地震という「直接的現実」を詩人の内部で消化し、「抽象的な震災という世界」に昇華させている。

この震災のとき、多くの詩人が震災という現実に対峙して作品を書いているのは、当然のことだが、いま、そのことごとくが読み継がれているわけではない。それは現実を現実として書いている記録的なものであるからである。もちろん、それらの作品が当時「震災」という残酷な現実を大きく伝えたことは事実だが、ストレートに書かれた現実は、時間とともに必ず薄れていくものなのだ。秋山の言う「第二の現実」とは、詩人の手によって、創造された「抽象的な詩の世界」でなければならないということなのである。

いいことずくめ　　浅野　徹

末期腎不全になって

二十五年間も　生きてきた
勤務先では通院治療で早退しても
減給されない
きつい力仕事もまぬがれる
無理がきかないので遊びに出歩かない
たいして小遣いがいらないのに
生涯年金が支給されて

丈夫な体だったら　性格の不一致で
きっと別れた妻とも　長続きしているし
むずかしい年ごろの息子や娘たちは
まっすぐに育っているようだ

貯金もそこそこに貯まって
気が遠くなるほど長期の住宅ローンで
人並みに家を建てることができた

あとは　もう
死ぬのを　待つだけだ

（詩集『夜の来訪者』より）

なんと悲しく切ない作品だろう。これは直接的現実を、アイロニーによって逆手にとり、反復された現実に創り上げている作品である。鮎川信夫は『現代詩作法』の中で「詩への感受性は、経験への感受性がなければ、ほとんど何の役にも立たない」と言っているが、この浅野の経験への感受性はどうだろう。事実の経験を裏返して「喩」として成立させているのだ。この作品が純化圧縮された現実であるがゆえに、ぼくらは直接的現実以上に胸を痛め、感動するのである。

さて、ぼくの論旨は「詩とエッセーの境界」より、やや逸した論調になったきらいがするが、要は詩は現実を一度放棄して、反復して創られた抽象の世界であり、エッセーは自己の見聞・体験・思索・感想などを自由な形式で書かれた文章と言えるだろう。

（韓国「竹筍文学会」での講演内容）

「詩のお化け」について

現代詩が面白くない。何を書いているのか分からない。そんな声を聞きながら、そして自分自身でも言いながら、その面白くもない独善的な詩を書いている詩人が多いのだから可笑しな話だ。

そもそも、詩は言葉によって作られるものだが言葉ではない。

ぼくは若い頃、先達詩人に「詩は行間に書くものだ」とよく言われたが、詩は〈喩〉である。言葉と言葉を組み合わせることによって生じる抽象の世界である。だから、書かれた言葉、表現された言葉そのものに詩があるのではなく、言葉と言葉の間から顔を覗かせるものである。ところが、いまだに一部の詩人の中には、言葉そのものが詩であるかのように錯覚している者が少なくなく、それらの詩人の書くものが、わけの分からぬ隠喩の羅列となり、レトリック中心となり、言語破壊となり、一人よがりの言葉遊びとなっている。

それが「詩のお化け」の正体である。

「詩は詩人の芸術行為であるのだから、他人に理解されなくともよい」

彼らはそう言って、言葉の錬金術の虜になっているのだが、そんな詩人が商業詩誌などに、あくせくと詩を発表しているのだから、一般読者が、詩から遠ざかっていくのは当然のことである。

ぼくの二十代の頃、書店に多くの詩書が（同人雑誌まで）並べられてあり、それを求めて毎日のように、書店に立ち寄っていたのが、なつかしい。

たしかに、詩想や哲学が深く、なかなか理解しにくい作品もなくはないが、分からない、面白くない詩の大半はこの「詩のお化け」である。けれど、詩の読者のほとんどは、詩の書き手でもある詩人であるから、この「詩のお化け」を心の中では否定しながらも、「なにか訴えようとしているものが感じられる」とか、「現代社会が複雑だから、詩も難解になる」とかなんとか言って容認してしまう。そして、それがその商業詩誌をとりまく著名な詩人の作品なら、なおのこと、分からないと言うと、なにか自分の詩人としてのレベルを疑われるのではないか、と思ってしまい「なるほど、なるほど」と自分自身を納得させてしまう。詩人イコール読者という現状では、この影響はなかなか大きく、「詩のお化け」はますますご安泰というわけである。

もちろん著名な詩人の中にも、新川和江とか、茨木のり子とか、黒田三郎とか、石垣りんとか詩の正道を歩いているすぐれた詩人もいるのだが、この「詩のお化け」を容認している限り、現代詩はますます大衆から見離されていくだろう。

けれど、ぼくはただ詩が分かり易ければいいと言っているのではない。一部のサークル詩人や同人詩誌などに見られる綴方作文や、日記を行分けにしたような作品には辟易である。あれは日常語の羅列である。生活を書いているのではなく、生活を説明しているのである。「詩のお化け」のほうは、レトリックに溺れすぎ、いちばん大切な「感動を伝える」ことを忘れているのだが、こちらのほうは、くだらない日常の世間話が並べられているだけで、〈喩〉の存在などまったくない。ぼくは、ほんとうの詩は、精神的なものを含め、自己の体験の中から生まれ、分かり易いものでなければいけないと思っているのだが、分かり易いということと、安易に書かれるということでは本質的にちがうのだ。

こういう安易な作品で、注意しなければいけないのは、詩的感動ではなく、テーマの内容そのものに心を打たれて、それがいい作品であると思わされてしまうことである。

これは子どもの詩などによくあることで、詩の巧拙でなく、「子どもの世界」そのものに騙されてしまう。こういう作品はナマで書かれていて抽象ではないから、二度三度、繰り返して読めばすぐ分かることだが、こういうふうに詩が安易に書かれているとたいへん迷惑である。「詩のお化け」側が、「詩は散文でない」「詩は言葉によってつくられる芸術である」と逆襲してくるからだ。

だから、日常語で分かり易い詩を書くということは、ほんとうは難しいのだ。詩は一度得た詩的衝動なり感動を、自分の中に受け入れ、それを再構築したものでなければならない。

これは絵画の世界にも言えることだが、具象の絵でも、画家の求めているのは「抽象」の世界である。風景を描いていても、そこに描かれているのは風景そのものでなく「静寂」であったり「躍動」であったりすることがある。たとえば、ミレーの「晩鐘」は、「田園風景」（現実）ではなく「祈りの世界」（抽象）を描いているのではないか。

画家は対象の背後にあるものとか、その対象に内在する本質的なものを描こうとする。だから、どんなに精巧に描かれている絵画を見ても、その抽象性がなければぼくらはあまり感動しない。精巧さにおいては、写真に及ぶものではないからである。そして、それが安易な作品なら「まったく下手だ」と思ってしまう。具象の絵は巧拙が分かるからである。

ところが、抽象絵画の方はその抽象性が描かれてない駄作でも、見る者にはなにがなんだか分からないから、「これが芸術です」と言えば誤魔化すことができる。そして分からないのは見る眼がないからだと言う。けれど、抽象というのは漂ってくるものであり、匂ってくるものである。頭で理解するものでも、説明で納得するものでもない。「詩のお化け」も実にこれとよく似ていて、「これが現代詩です」と読む者を誤魔化してしまう。行分け作文のほうは、それがだめな詩かどうかすぐ分かるから、即座に抹殺させられるが、「詩のお化け」の方は、分からないという隠れ蓑を着ているから、詩の顔をして一部の詩人の間を歩いている。

一九九九年、アジア詩人会議に参加のためモンゴルへ出かけた。ついでにチャーター機で南ゴビまで足を伸し、大草原で幾日かを過ごした。

ぼくは自然が好きなのでよく旅をする。カナダも東から西までロッキーを越えて横断した。スイスにもしばらく滞在した。けれど、モンゴルの自然は違っていた。たしかにカナダやスイスの自然は美しいものではあったが、モンゴルのそれは美しいというより、天地が創造されたとき、たぶんそこに存在していたのではないかと思われるような自然であった。ゴビの砂漠、果てしなく広がる草原、天と地を隔てる一本の地平線、日の出、落日、ぼくはすべてに感動した。そして、その時思ったのは詩の原点は感動であるという事実であった。蔵原伸二郎が『東洋の詩魂』で言っているのはそのことであった。

人類は原始時代ほどその感応のしかたは全身全霊的であった。それゆえに彼等は極めて狭い認識限界においてさえ、彼等が何ものかに感動する、その仕方は根元的であり、自分が宇宙の一部分としての直続性を持っていた。彼等に対する感動の一つの刺激が、例えば指の端を針先で突っつくようにその反応は直接かつ全体的であったのだ。人類進化の跡をたどるまでもなく、人間は必要度の如何によってその進化を左右されて来たので、天上への関心よりもより多く、地上的唯物的関心に支配されてきたのである。これは歴史的現実として、まさに必然ともいえることにちがいなかった。より楽しく、より肥沃な土地を求めて人類は八方に展開した。すなわち、平面への情勢が彼等をして、地球上の未知に向って全精力を投じさせたのである。その情勢をまたげる一切のものと闘争し、これに打ち克って行ったのである。そうして人類は平面的方法に於いては地球を克服したといえよう。このじつにながい人類進化の方法、即ち平面的欲望が、何時のまにか人間の発想法、ならびに感応のしかたを平面的に習慣づけ、地上的な序列的な認識の方向に持って行ったのである。

（「平面と立体」より）

ぼくは、さきに上梓した拙著『いま一度、詩の心を』の中で、現代詩は詩人の肉声を書くことを恥とする傾向があることを指摘したが、それは蔵原流に言えば、平面的欲望が、何時の間にか、詩の世界にも入り込み、詩の発想、ならびに感応のしかたなどを平面的、技巧的に変えてしまい、レトリック、修辞の世界に詩を追い込んでしまっているのだと言ってよい。比喩の羅列はあっても、一行一行の詩語に技巧はあっても、そこに宇宙の一部分としての人間の根元的感動のない詩が多すぎる。ぼくが、あのモンゴルの草原で、思わず口遊んだのは、あの古いと思っていた柿本人麻呂の歌であった。

東の野にかぎろひの立つ見えて
かへり見すればつき傾きぬ

（万葉集巻一の四十八）

あの雄大な草原に立ったとき、ぼくが強く感じたのは人麻呂と同じように「詩の原点は感動である」ということの再認識であり、あの地平線から昇ってくる日輪の姿は躍動感そのものであった。

ぼくは、詩は詩人の肉声をつたえるべきものだと頑なに信じている。小ブルトン、小エリュアール、小アラゴンは沢山だ。まして、小西脇、小北園、さらにクレジットさえわからぬ、模倣ごった煮にいたっては、まさに反吐だ。高村光太郎の『道程』が、三好達治の『測量船』が、菱山修三の『懸崖』が、小野十三郎の『大阪』が人をうつのは、どういう理由でもない、そこに詩人の肉声がきかれるからだ。しかもその肉声が、ぼくらのものでさえあるほどに厚みと巾と繊細さをもっているからだ。肉声に対して恥を感じるというくせは現代詩がもった悲しむべき病である。

大岡信は、「現代詩試論」[*1]の中でこんなふうに言っている。それは詩の原点は詩人の魂の発露であり、感動の伝達が詩であるということである。もちろん、詩は俳句や短歌と異なり、自己の内面や、社会性まで深く掘り下げて表現されるべきものであるから、ただたんなる詠嘆や抒情だけであってはならないと思うのだが、「詩のお化け」は、詩人の肉声や人間が根元的に持たなければいけない感動まで排除し、言語至上主義に走り、難解という隠れ蓑に生きているのである。魅力のない詩から大衆が遠ざかるのは当然である。

魅力を失えば、読者は不在になる。文学は魅力で支えられているからだ。では、その魅力を喪失した要因はどこにあるだろう。その一つは、詩が「荒地」以来、抒情やイメージなどに比較し、あまりにも〈意味〉に偏り過ぎ、内向性を強め、難解な傾向を呈したことがまず指摘されよう。

三田洋は『抒情の世紀』の中でこんなふうに、戦後の抒情否定が現代詩の衰退を促したことを指摘しているが、抒情とは人間の心の発露であるはずである。

また、三田は「戦後の抒情否定は正しかったか」の項で「戦後のこの抒情否定旋風は、その後の詩人たちのうえに決定的ともいえる重い足枷を嵌めることになる。〈あいつは抒情派だ〉ということばは、詩人に対する一つの侮辱的ひびきとなってしまう。そんな厭うべき状況までつくりだしてしまった。日本の詩にとって、これほど不幸な現象はあり得ない。なぜなら、日本の詩の本道は抒情詩であるはずだから」と言っているが、その後遺症はまだ残っている。抒情派と言われることをことさら避け、素直に感動を受け入れることは詩を理解することではないと思い込んでいる詩人が、ぼくの周囲にもまだまだたくさんいるからだ。「詩のお化け」を奉じ、難解という隠れ蓑を着て、詩壇ジャーナリズムに媚を売る一部の詩人たちに、三田の発言は詩の正道を促すものである。

かつてぼくは詩がどれだけ一般に読まれているかを知りたくて、市販の代表的文芸雑誌*2及び、都道府県の代表的地方新聞すべて（雑誌は一年間、新聞は一ヶ月）に眼をとおしたことがある。これは東京都立中央図書館に拠るものであるが、俳句、短歌に比べ、ほとんど現代詩は扱われていなかった。他にも理由があるのだろうが、それは、詩人が読者の心を揺り動かし、説得力のある分かり易い、芸術性の高い作品を書いていないからである。詩がたんなる詩人のマスターベーションで、正体不明の「詩のお化け」であるからである。高村光太郎も萩原朔太郎も三好達治も壺井繁治も山之口貘もみんな分かるではないか。

そこでぼくは、分かる詩と「詩のお化け」とでどこが違うのかを考えたのである。もちろん、俳句、短歌を含めてのことである。

1

行ってみたことのない海に事件が起きた
しらない港に魚がついた
その魚にみえない毒があるとしらされた
喰べるのをやめた

（2省略）

3

雨がふった
雨のなかに見えない毒があるとしらされた
濡れないわけにはいかない………

果物が熟れた
果物のなかにみえない毒があるとしらされた
喰べないわけにはいかない

4

私は雨に濡れ
魚を喰べ
果物を喰べた
——まだ　大丈夫だ
そうだ　諸君　まだ　大丈夫だ！

これは関根弘の一九五〇年前後の「行ってみたことのない海に」と題する作品であるが、

いま関根が生きていて書いた作品だと言っていいほどの説得力がある。社会派の詩人の作品には、概してその時代の社会現象とともに消え去ってしまうものが多いのだが、アヴァンギャルドを通過している関根のアイロニーは、現実の問題の説明でなく、「喩」として読むものの胸にひしひしとせまってくる。そして、「文」としての「起承転結」が実にはっきりとしているのである。「起承転結」というと、ずいぶん古風な言葉を持ち出したと思うかもしれないが、詩もまた「文」なのである。

もう一つ例を挙げよう。

ラッシュ・アワア

改札口で
指が　切符と一緒に切られた

詩集『検温器と花』の中にある北川冬彦の二行の作品である。「私には私の詩を平板なリアリズムに終らせたくない強烈な欲望が初めからある。それは私が藝術上のオリジナリテを極端に尊重するからであろう」と北川は自分自身を語っているが、このリアリティーはどうだろう。圧し合い押し合う電車の中、混雑する駅の構内、どっとなだれ込む改札口などを鮮明なイメージで捉えているのだ。むしろ、この詩は「起承転結」の「結」だけが言葉として書かれているが、題名の「ラッシュ・アワア」が「起承転」の部分をイメージとして、読者に喚起させているのだ。しかも、分かり易い日常語で。ここには「詩のお化け」と違って、わけの分からぬ隠喩の羅列や、難解な語句はひとつもない。

新しき明日の来たるを信ずといふ
自分の言葉に嘘はなけれど　　　　石川啄木

街はおまつりお骨となって帰られたか　　種田山頭火

詩でも短歌でも俳句でも、佳作というのは必ずと言っていいのだが、「起承転結」がはっきりとしている。そして、その作品が一つの物語として心に残ってくるのだ。もちろん感覚的な感性による作品もあるのだが、とにかく詩は伝わるものでなくてはならない。

先日、知人の家で、小さな子どもと時を過した。自分の三人の子どもが、それぞれ成人してしまったぼくには久しぶりの体験であったが、その幼児の発する言葉の多様性には驚いた。たとえば「ママ」という言葉が、その使い方によって何種類もの意味に使われているのだ。「ママ」という言葉の中に存在する喩の多様性。

いま、言葉は語彙こそ増えてはいるが、その意味はますます限定され、記号化しつつある。コミュニケーションの媒体としての記号である。あのデパートのトイレとか、ドライブインのレストランなどの標識と同じものになりつつある。言葉の持つ多様性が失われつつある。

ぼくは生まれながらの東京圏の人間なのだが、ひょんなことから、あの大阪ことばの「おおきに」を、日常生活の中でいつも使っていて、よく「関西の方ですか?」と聞かれることがある。それは「おおきに」が、「ありがとう」という意味以外に「ごくろうさんでした」とか、「たいへんだったですね」とか、「お世話になりました」とかいろいろな場面で使えるからである。たとえば、レストランに入って食事を済ませ、店を出るとき、店の従業員はお客であるぼくに「ありがとうございます」と言う。それは当然なのだが、客であるぼくも、料理がうまかったとか、酒がよかったとか謝辞を述べたいのだが、客が金を払いながら「ありがとう」では理屈に合わない。そんなとき「おおきに」を使うのだ。ぼくは、言葉は本来、「おおきに」と同様、すべての言葉が多様性を持っているものだと思っているが、それを再認識させてくれたのが、幼児の「ママ」と叫ぶ言葉であった。
どだい、修辞というのは言葉を限定することである。言葉の意味をせばめることである。だから、「詩のお化け」の隠喩の羅列は、かえって言葉の機能を破壊し、感動の伝達を阻み、そこに分からないという現象を生んでいるのである。詩は言葉を「記号」から解放することである。言葉に言葉本来の広がりを持たせることである。前出の関根弘の「行ってみたことのない海に」も、北川冬彦の「ラッシュ・アワア」もたくさんの意味と言葉が空間に隠されている。

一月十七日　昼

がれきの下の
崩れた
網代のすきまから
体をすべり込ませて
やっと取り出して
茶わん二つ

小学校の避難所へと
帰っていく

阪神淡路大震災の直後、神戸の詩人たかとう匡子が書いた作品であるが、この詩を、はたして単純でストレートだと言い切れるだろうか。たかとうはこの後『ユンボの爪』という詩集を時間を経て上梓しているのだが、それはつくられたもので、この作品ほど、強い感動は受けなかった。「茶わん」というなんの変哲もない日常語が、「生命（いのち）」「生きる」という言葉に昇華されているのである。この詩を直截的と言う人もいるかもしれないが、はたしてこの作品に月並みの隠喩やレトリックが必要だろうか。被災者と同じ次元に立ったたかとうは「茶わん」という言葉に大きな意味と広がりを持たせているのである。

野

はげまし
あって

みんなで
枯れて
ゆく

相馬大の詩集『ものに影』の作品は、すべて題から始まり、この詩のように六行で書かれているのだが、ここに使われている言葉はすべてコミュニケーションの媒体としての言葉ではない。言葉と言葉が呼びあい、助けあい相馬大ならではの人生を「喩」として描いているのだ。「はげましあって、みんなで枯れてゆく」というなんの変哲もない言葉が抽象の世界を創っているのだ。真のレトリックというのは「詩のお化け」のように隠喩を羅列することではない。

ぼくは現代詩をもっともっと大衆のもとに返さなくてはいけないと思っているのだが、それは大衆に媚びることでもなく、類型的な大衆の思想や、俗性に身を委ねることでもない。大衆をも納得させる詩を書かなくてはいけないということである。現代詩は不毛である、というようなことを言う詩人もいるが、それは間違いである。現実に、ぼくが始めた詩の勉強会も、わずか数年で十名が四十数名になっている。地域で公募して年一度出しているアンソロジーも、三十数名であったものが、今は百数十名になっている。不毛どころか、大衆は詩を求めているのだ。しかるに彼らに門戸をとざしているのは、芸術家きどりの一部の詩人たちなのだ。

ぼくはサラリーマンが上司に諂い、仕事の上で二枚舌を使うのは仕方のないことだと思うのだが、ものごとに拘らない自由な発想の持ち主であるべき詩人が、なぜ小さな詩壇ジャーナリズムに拘り、「詩のお化け」の幻影に生きているのか不思議でならない。

アンデルセンの童話に「はだかの王様」というのがあるが、王様をはだかだと言った勇気ある少年のように、詩人それぞれが、「詩のお化け」に対して、「あなたの詩はつまらない」「難解の隠れ蓑を捨てなさい」「詩はお化けではないのだから」と素直に叫ばなくてはいけない。


（「新日本文学」六一五号より）

＊1 「現代詩試論」大岡信（「詩学」一九五三年八月号）
＊2 「海燕」「群像」「新潮」「すばる」「文學界」「文藝」「文藝春秋」

詩を伝える
――詩は読み手との共感によって成立する

先日、「詩と思想」編集参与が集まった会で、「詩はなんのために、どのような時に書くのか」という司会者の問いに、さまざまな応えがあったが、ぼくがまったくと言っていいほど共感したのは、「自分の詩的衝動なり思ったことを他者に伝えたい時」という柴田三吉の言葉であった。もちろん詩人にとって詩作は、そこに詩を創造するという喜びや楽しさがあることは否定できないが、「詩は詩人の芸術行為なのだから、他者には関係ない」などといかにも詩人ぶった発言をし、言葉の錬金術の虜になっている独善的な詩人も少なくない。ところが、そういう詩人があまり読まれることのない詩集をあくせくと上梓し、商業詩誌などに作品を発表しているのだから可笑しなものである。芝居の舞台が、観客なしでは成立しないのと同じように、詩もまた読み手と共感することによって成立するものではないのか。

元日本詩人クラブの会長を務めた寺田弘は、詩の朗読運動の先駆者であるが、なぜ朗読運動に携わったかといえば、戦後、紙が不足し、同人誌も詩集もだせる状態ではなく、詩を他者に伝える方法は朗読以外になかったからだという。

「書くということは、結局、孤独な営為であるとの感慨を捨て切れないが、読み手があって、はじめて書き手の思いが完結します。つたないこの詩集をお読み下さった方々に、厚くお礼申し上げます」これは、かつて、とある詩人の詩集にあったあとがきの一文であるが、書き手の正直な思いが記されている。

詩は読まれてこそ成立するものであり、共感されてこそ存在するものなのだ。そして共感を得るためには、いかに自己の感動なり詩的衝動を忠実に言葉に置き換え〈喩〉に定着させるかが肝要であるだろう。〈喩〉とは抽象であってたんなるレトリックでいう比喩ではない。芝居の舞台が、どのように現実を再現し、観客に感動を与えたとしても、舞台は非現実の世界であり、抽象の世界である。ところが、現代社会の変貌に諂うように「実験詩、未来詩」とまで称して、肝心要の「詩」を置き去りにして、言葉の遊戯に陥っている詩人も少なくない。

村野四郎はそのことについて「詩学的にいって詩の原理というものは、どんな時代をへても変わることはないでしょう。しかし詩の対象は時代と共に変化していきます。詩を感じ、詩を書くものが人間という社会的な存在であり、その人間はたえず変転する時代の社会的現実の中に生きているのですから、彼らが感じたり、書いたりする対象や形式にも何らかのズレが生じてくることは当然なことでしょう。ところが、こうした本質以外の変化が、これまでしばしば本質と混同されて考えられてきたことは事実です」と言っている。これは、社会的に生きる詩人の作品が、時代を反映したものにはなりうるが、詩の本質が変わるものではないということである。それは万葉集が死んでしまったか、古今集が死んでしまったか、芭蕉が、朔太郎が、道造が、死んでしまったかという問いに対する応えを考えれば、誰しもが解ることである。

ぼくは若い頃、よく先達詩人に「詩は行間に書くものだ」と言われたことがあるが、詩という〈喩〉は言葉と言葉の組み合わせによって生まれる抽象の世界である。書かれた言葉、表記された言葉そのものに詩があるのではなく、言葉と言葉の間から顔を覗かせるものである。

歳月

ベレーを
ぬぐと
そこに
かなしみが
あった

このごろ
たちどまる
ところに
老いた
においが
たつ

　これは俳句に近い相馬大の作品であるが、このたった六行に凝縮された詩句から漂ってくるのは哀しく切ない人生である。そして、この「哀しく切ない人生」は、だれしもが、かならず、受け入れなくてはならない人生である。だから、多くの人の心を揺さぶり、共感を呼ぶのだろう。

虫の闇

あの
世への
道も

ひとりで
あろう

ぼくは間もなく卆寿を迎える人間であるが、この作品、作者だけではなく、ぼくの現在の心境が詠われているような気がしてならない。いや、たくさんの人の「老いの心情」を、代弁していると言ってよいだろう。前述の「読み手があって、書き手の思いが、完結する」という意味は、このように人生の共感をともにすることが出来るということである。鮎川信夫は「詩は自分の心の中を書くのではなく、他人の心の中で書くことを理解しておれば、おそらく初歩的な独善に陥る愚だけは避けられるでしょう」と言っているが、この短詩百八篇をまとめた相馬の詩集『ものに影』は、いま、彼自身の詩集というより、ぼくの身近な対話の相手となっている。

対話の相手と言えば、ぼくの主宰している詩誌「漪」の同人であった小島禄琅の詩も、いつもぼくに話しかけてきた。いや、多くの人に話しかけていたことであろう。相馬大は、小島のことを「これほどまでに、明確な詩の創作原点をもち、生涯、詩をかきつづけてきた詩人は、まれにみる詩人のひととなりといえる」と、彼の『現代詩文庫』の中で評しているが、小島の詩の創作原点は、自己の人生体験を、だれしもが経験する人生体験へと普遍化していることである。若い頃、小説を数多く書いてきた小島は、いつも、読み手との共感を意識して詩作を続けていたのである。

ひげの孤独

ひげは生きている証拠に　毎日伸びた
その力を与えるものは
うらぶれた皮膚の中にもある
もちろん若い頃は毎日剃った
今は毎日といかない
無精ひげの男がテレビに出ると
ぼくもあんなだと思い
うとましくなる
だが昨今ひげの男はすくなくない
中には威厳を装うためのひげ面もあるが
カラ威張りの果て
淋しさを紛らす手だてとしてのものもある
そういえば淋しいとき
にんげんは　おのずから顎ひげを撫でる

指に触れるものをいとしみ
そこに自分がいることをたしかめる
草の穂に似た可憐な感触を
誰にも知られぬよう　こっそりまさぐる

ひげは死ぬまで伸び続ける
山の稜線に生えた疎らな樹のように
彼は夕日にシルエットを刻み
山の悲しみを訴える
ぼくの指は顎の稜線でのったり悲しみを捉える
果てしもない翳のように
一本一本が呟いている孤独の声
いや何本もむらがって生えながら
いつも孤独でしかないのが彼らだ
さながらにんげんとおなじように
おおぜいの中のひとりぼっちの存在として

小島の作品には、まったく難解な語はない。けれど、読み手のアンテナに触れると、大きく揺れ動く。そして共鳴する。それは理屈ではない。なるほど、なるほどと、共感させられるのだ。詩とは理解するものではなく、感じ取るものだからだ。

「詩と思想」二〇二〇年七月号が「石垣りん」の特集を組んだのは、たいへん時代に即したいい企画であった。石垣と言えば「わたしの前にある鍋とお釜と燃える火と」や「表札」などで著名な庶民派の詩人と言われているが、それは石垣そのものが著名でありながら、庶民であったということである。いま、詩が独善的で、一般庶民から離脱しているのは、小島禄琅の言葉を借りれば、詩人がなにか高踏的で、威厳を装うためにひげ面であったり、カラ威張りするために、ひげを生やし、一般庶民を、煙に巻いているからであろう。

原子童話

戦闘開始

二つの国から飛び立った飛行機は
同時刻に敵国上へ原子爆弾を落しました

二つの国は壊滅しました

生き残ったものは世界中に
二機の乗組員だけになりました

彼らがどんなにかなしく
またむつまじく暮らしたか――

それは、ひょっとすると
新しい神話になるかも知れません

一九四九年に書かれたこの「原子童話」は、書かれたその当時よりも、はるかにその内容の真価が問われる作品である。

いま、戦争が起これば、いつでもミサイルが飛び交う時代である。ぼくは、特別なイデオロギーや思想を持つ者ではないが、絶対戦争に反対なのは、勝っても負けても、お互いの国が、無残になるのは間違いないからである。核の脅威に怯えながら、核の抑止力に依存するという愚かな人類。ヒロシマ、ナガサキの教訓をぼくらは、けして忘れてはならないのだ。このユーモアたっぷりに、描かれた「原子童話」は、いま世界を俯瞰しているのだ。この「原子童話」ほど、近・現代詩の中で、読み手の心を大きく揺り動かす詩はないだろう。

最後に、もう一度。「詩は読み手の共感を得て成立するものである」

あとがき

「卆寿」と言う単語は、自分に関わりのないものだと思っていたが、他者から「卆寿、おめでとう」と言われると一瞬、悦んでいいのか哀しく思うべきか応えに躊躇する。この歳になれば、加齢は、一歩一歩死に近づくことだからである。だが、「よくぞ、ここまで元気で生きてこられた、ますますの発展を」という意味にとれば、それはめでたいことなのだろう。卆寿、九十歳。そんな思いを連れ合いに話したら、「当たり前でしょ、あなたは老人、ここまでよく生きてきたと感謝しなければ」と、たった一言でかたづけられた。そうか、九十年、さまざまなことに出くわしたが、とにもかくにも生きてきた。

それならぼくの「生」とは、なんであったのだろう。R・M・リルケは「花たるこそ花なれ」と、言っているが、ぼくは、はたして「開花そのものが生である花」のように生きてきたのだろうか。そんな訳で、九十年の歳月を振り返り、詩人としての足跡を辿ってみた、それがこの本の上梓となったのである。

この『振り返ってみたら、そこに詩が』は、二章に分けた。第一章「詩を生きる」は、ぼくの人生における詩とのふれあい、つまりぼくの自叙伝と言ってよいものである。内容は、かつて「詩と思想」誌に、三回に亘って連載した「詩的自叙伝」に加えて、関西の代表的詩誌「ＰＯ」に執筆した「あの日、あの時」、さらに、どうしても多くの人に伝えたい「アウシュヴィッツ・テレジンの旅の記録」を、一つに纏めたものである。一口に言えば、ぼくの生き様である。第二章の「詩の周辺」は、ぼくの詩論と言っていいものである。内容としては、①「現代詩と俳句」は、韓国の国民詩人である李相和の生誕記念百年祭で講演したもの、②「詩とエッセー」は、韓国「文琶文学」と詩誌「漪」の交流会で講演したもの、③「詩のお化け」は、だいぶ前に「新日本文学」に発表したもの、④「詩を伝える」は「詩と思想」に発表したものに、それぞれ加筆訂正したものである。

終わりにではあるが、この本の上梓にあたり、お力添えを頂いた土曜美術社出版販売高木祐子社主、すばらしい装幀をして下さったデザイナーの木下芽映さんに、心より感謝の言葉を捧げたい。

咲き誇っている彼岸花を見ながら

中原道夫

中原道夫詩碑　2020年建立
真言宗豊山派　佛眼寺（埼玉県所沢市）

著者略歴

中原道夫（なかはら・みちお）

埼玉県所沢市に生まれる。
詩誌「漪」編集発行人。
日本文藝家協会、日本ペンクラブ、日本現代詩人会、
日本詩人クラブ各会員。埼玉文芸家集団代表。
詩集『新・日本現代詩文庫１　中原道夫詩集』他 14 冊、
評論集『現代詩、されど詩の心を』など５冊、
その他小説、エッセイ集など多数。

現住所　〒 359-1142　埼玉県所沢市上新井 5-65-24

振り返ってみたら、そこに詩が

発行　二〇二〇年十一月二十二日

著者　中原道夫
装丁　木下芽映
発行者　高木祐子
発行所　土曜美術社出版販売
〒162-0813　東京都新宿区東五軒町三―一〇
電話　〇三―五二二九―〇七三〇
FAX　〇三―五二二九―〇七三二
振替　〇〇一六〇―九―七五六九〇九
印刷・製本　モリモト印刷
ISBN978-4-8120-2594-9　C0095